SCIENCE COMIC

Why?

Why? 물리

Why? 물리

2005년 8월16일 2판1쇄 발행
2012년 6월20일 2판중쇄 발행

회장 | 나춘호
펴낸이 | 나성훈
펴낸곳 | (주)예림당
등록 | 제4-161호
주소 | 서울특별시 강남구 삼성동 153
구매 문의 전화 | 예림M&B 561-9007
팩스 | 예림M&B 562-9007
책 내용 문의 전화 | 3404-9238
홈쇼핑 문의 전화 | 3404-9286
http://www.yearim.kr
ISBN 978-89-302-0246-6 74420
ⓒ 2005 예림당 외

Staff

내용을 꼼꼼히 감수해 주신 분

김제완

서울대학교 물리학과를 졸업하고 미국 컬럼비아 대학에서 박사 학위를 받았습니다. '대한민국 과학 기술상 과학상'(1993년)을 수상하였고, 저서로는 〈빛은 있어야 한다─물리학의 세계를 찾아서〉〈겨우 존재하는 것들〉이 있습니다. 현재 서울대학교 물리학과 명예교수, 과학문화진흥회 회장으로 재직중입니다.

밑글을 재미있게 써 주신 분

조영선

그동안 스토리를 쓴 작품으로 〈머리가 똑똑해지는 원리 과학〉〈명탐정 어린이 과학수사대 1,2〉〈어린왕자〉등이 있습니다. 현재 '퍼니C'에서 어린이의 생각과 함께 살아 숨쉬는 작품을 만들고자 노력하고 있습니다.

재미있고 알기 쉽게 만화와 그림을 그려 주신 분

이영호

그동안 〈나홀로 놀이공원에〉〈나홀로 방송국에〉〈시장 경제는 내친구〉〈우비 기상탐험대〉등 많은 그림을 그려 왔습니다. 현재 '퍼니C'에서 어린이들에게 좀 더 친숙하게 다가갈 수 있도록 항상 노력하고 있습니다.

편집 상무 | 유인화
편집 이사 | 백광균
편집 | 연양흠/장효순 박효정 이나영 이연옥 최혜원 김주연 최연진 문지연
사진 | 김창윤/유수환
디자인 | 이정애/이보배 김윤실 김신애 이나연 박정수
홍보 | 박일성/김선미 이미영 이예원
제작 | 정병문/신상덕 전계현 최용태
마케팅 | 예림M&B
특판팀 | 채청용/서우람 최순예
사진 자료 협조 | 명진금속(도금)

⚠ 주의 : 책을 던지거나 떨어뜨리면 다칠 우려가 있으니 주의하십시오.

 물리를 내면서

인류가 처음으로 달에 착륙했다는 소식이 전해졌을 때 수많은 사람들은
커다란 감동에 휩싸였습니다. 그것은 아마도 달을 직접 볼 수 있다는
설레임보다 땅에서 걷고 뛰는 것밖에 못했던 인간이 과학으로 한계를
극복했다는 점 때문일 것입니다.

새를 제외한 모든 동물들은 '왜?' 날 수 없는지 아무도 질문하지 못했을 때,
뉴턴은 나무에서 떨어지는 사과를 보고 '만유 인력의 법칙'을 발견했습니다.
모든 물질은 서로 잡아당기는 힘이 작용하며 지구라는 거대한 물체가 지구
주변의 모든 물질을 잡아당기기 때문에 인간도 높이 뛰어오를 수 없다는
뉴턴의 과학적 논리는 많은 사람들의 과학적 상상력을 자극하게 되었지요.

이 때부터 공은 탱탱하니까 튀어오르고, 바퀴는 둥그니까 굴러간다는 단순한
생각들을 과학적 원리로 설명해 낼 줄 알게 된 사람들은 절대 불가능하다고
생각했던 많은 일들을 현실로 바꾸어 놓았습니다.

이런 과학적 원리들이 만물(物)의 이치(理), 즉 물리입니다.

세상의 모든 현상들에는 각기 과학적 원리가 숨겨져 있기 때문에 그 원리를
이해하면 유용하고 편리한 것들을 만들고 찾아낼 수가 있습니다.

주변을 한번 둘러보세요. 그리고 당연하다고 생각한 현상들에 대해
'왜?' 라는 의문을 달아 보세요. 그런 의미에서 이 책은 과학적 호기심을
갖고 있는 여러분에게 큰 도움이 될 것입니다.

*부모님이 함께 읽고 지도해 주시면 더욱 좋습니다.

Contents

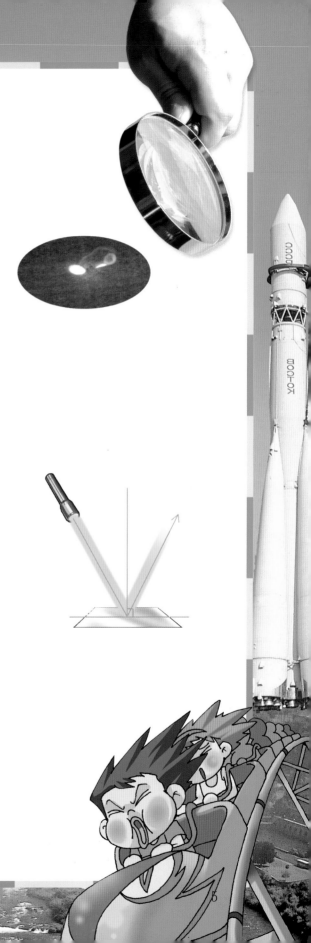

◆ 파동과 빛

Character

꼼지

약자를 괴롭히는 힘센
친구에게 맞서는 용기가 있다.
물리 공부를 통해 힘을
잘 쓰는 요령을 터득한다.

엄지

예쁘고 똑똑하다.
물리에 관한 기초 지식이
있어, 짱 박사로부터
인정을 받는다.

짱 박사

천재적인 두뇌를 가진
세계적인 물리학 박사.
하지만 심심하고 따분한
생활을 싫어한다.

특공대장

짱 박사를 모셔 가기
위해 온갖 노력을 다한다.
짱 박사를 생각하는
마음이 남다르다.

만능 로봇

짱 박사가 만든 최첨단
로봇. 용수철, 글라이더,
잠수함 등 자유자재로
변신한다.

물리는 우리 주변에서 일어나는
모든 자연 현상에 대해 왜 그러한
현상이 일어나는지, 그리고 그러한
현상을 있게 하는 법칙은 무엇인지를
알아보고 이해하는 기본 과학입니다.

힘과 운동

이제부터
열심히 운동해서
저 로봇처럼 튼튼
해져야지.

정체 불명의 사나이

11

아, 안 되겠다.
전기 충격으로 박사를
기절시켜라!

전기 충격용
광선 발사!

쿵쿵

!!

파

찌

어허, 나를
얕보는군.

샥

에잇, 이 정도쯤은
식은죽먹기지.

파지지직

파
지
지
지

!

끄응! 나 아직 살아 있는 것 맞나?

아, 머리야. 어떻게 된 거지? 분명 우린 커다란 로봇에 부딪혔는데….

어, 엄지야, 괜찮아?

근데 할아버진 누구세요? 혹시 근처에서 큰 로봇 못 보셨어요? 그 위에 있던 멋진 분은요?

머… 멋진 분?

하하, 내가 그 멋진 분이란다.

에헴

아마 우릴 구해 주고 다른 곳으로 가셨나 봐.

그러게.

내가 그 멋진 분이라니까!

버럭

깜짝

힘이란 무엇인가?

에이, 그럼 로봇은 어디 있어요?

저기 있지.

엥? 이게 무슨 로봇이에요. 그냥 가방이구먼.

후훗! 놀라지나 마라.

꾸욱

철컹

철컹

철컹

쿵~

우아! 짱 멋지다.

근데 어떻게 이런 거에 부딪혔는데 하나도 안 다쳤지? 정말 다행이다, 그치?

만약 직접 부딪쳤다면 크게 다쳤을 게다.

하지만 내가 너희와 부딪치려는 순간 로봇 팔을 뒤로 빼면서 충격을 흡수했단다. 이렇게…

1. 꼼지가 마주 달려오는 로봇과 그대로 부딪치면 순간 로봇의 속도와 무게에 의해 충격을 받게 된다.

2. 이 때 로봇이 팔을 뒤로 빼면 꼼지와 로봇이 부딪치는 거리가 조금 늘어난다.

3. 그만큼 꼼지는 충격을 적게 받게 되는 것이다.

로봇의 이동 방향

꼼지의 이동 방향

같은 예로 높은 데서 던진 달걀이나 물풍선을 가만히 서서 팔을 쭉 뻗어 받으면 터지지만

윽!

펑

받는 순간 몸과 팔을 굽히면 안전하게 받을 수 있는 것도 같은 이치이다.

사뿐

출렁

이러한 현상은 힘의 특성 때문에 나타나는 거란다.

힘이란 정지하고 있는 물체를 움직이거나, 움직이는 물체의 속도나 운동 방향을 바꾸고 형태를 변형시키는 원인을 말해.

따라서 힘은 질량, 길이, 온도, 시간 등과 같이 크기만 갖는 물리량이 아니라 속도, 운동량, 전기장, 자기장과 같이 크기와 방향성을 함께 갖는 물리량이란다.

같은 값(에너지)으로 서로 다른 방향에서 물체를 밀었을 때 민 방향에 따라 물체의 위치는 달라진다.

● 방향이 다른 힘에 의해 움직인 물체의 위치 변화

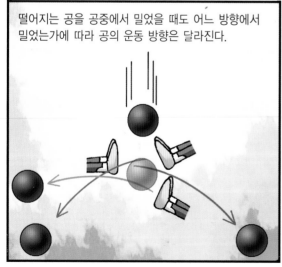

떨어지는 공을 공중에서 밀었을 때도 어느 방향에서 밀었는가에 따라 공의 운동 방향은 달라진다.

이렇듯 크기와 방향성을 가진 물리량을 '벡터', 크기만 가진 물리량을 '스칼라'라 한단다. 어째 이해가 되니?

뭔 소리 인지….

어쨌거나 힘은 벡터일까, 스칼라일까?

벡터요.

참 똑똑하구나. 이름이 뭐니?

엄지예요. 얘는 꼼지고요.

꼼지야, 나랑 힘 대결 한번 해 보겠니?

힘 대결이요? 에이, 할아버지하고 어떻게….

괜찮아. 일단 거기 서서 양 손바닥을 내밀어 보아라.

앗!

파

파닥

하하, 그렇게 땅에서 발이 먼저 떨어지면 지는 거다. 알았지?

좋아요, 이건 자신 있어요!

19

힘의 합성과 평형

다치시지 않게
살살 해 드릴게요!

...

걱정 마. 너 정도는
손끝 하나 안 대고도
이길 수 있으니까!

절 무시하는
거예요? 그러면
진짜 안 봐 드릴
거예요!

확

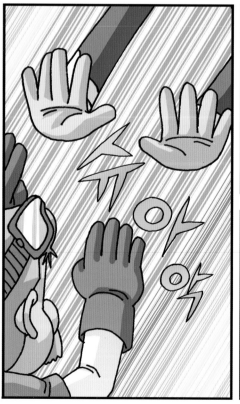

슈아악

샥

우웃!

엄마야!

툭

힘의 합성과 평형

한 물체에 둘 이상의 힘이 동시에 작용할 때 이들 힘과 똑같은 작용을 하는 한 개의 합을 구하는 것을 '힘의 합성'이라고 한다. 또한 여러 힘이 동시에 작용하더라도 물체가 움직이지 않으면 '힘의 평형'을 이룬 상태이며 이 때 힘들의 합력은 0이다.

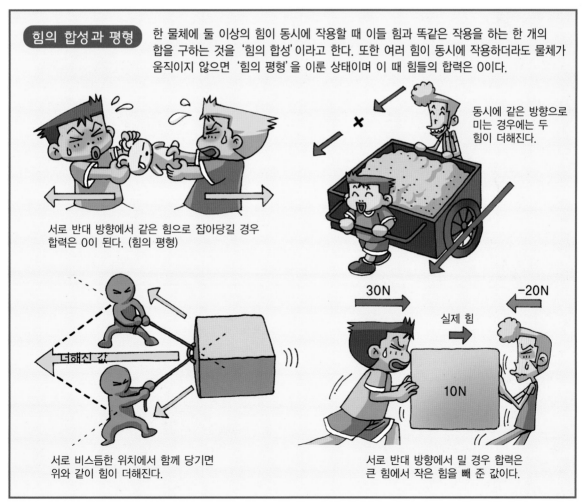

동시에 같은 방향으로 미는 경우에는 두 힘이 더해진다.

서로 반대 방향에서 같은 힘으로 잡아당길 경우 합력은 0이 된다. (힘의 평형)

서로 비스듬한 위치에서 함께 당기면 위와 같이 힘이 더해진다.

서로 반대 방향에서 밀 경우 합력은 큰 힘에서 작은 힘을 빼 준 값이다.

＊합력: 둘 이상의 힘과 같은 효과를 나타내는 한 힘
＊뉴턴(N): 힘의 단위

힘의 원리를 이용하는 대표적인 스포츠는 유도이다.

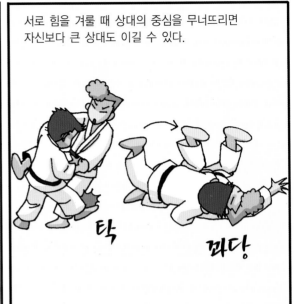

서로 힘을 겨룰 때 상대의 중심을 무너뜨리면 자신보다 큰 상대도 이길 수 있다.

탁

꺼당

이렇게 힘의 원리를 알고 적절히 사용하면 효과적인 운동을 할 수 있단다.

음, 그렇다면 뭉치한테 진 것도 내가 약해서 진 것만은 아니군….

와! 할아버지 되게 똑똑하시다. 뭐 하시는 분이세요?

누군가에게 쫓기는 것 같던데, 괜찮으세요?

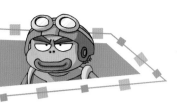

운동과 속력

슈 웅

본부 나오라, 오버!
여기는 위치 04지점,
박사가 14지점으로
운동중이다!

엥? 운동이라고요?
이동 아니에요?

운동이란 물체의
위치가 시간에
따라 변하는 걸
이야기하는 거야!

난 이렇게
뛰는 게 운동인지
알았는데….

당연하지. 뛰면
시간에 따라 위치가
변하잖아. 쯧쯧.

속력 = 거리 / 시간

2초에 500m를 갔으니 1초에는 250m를 간다.
1분은 60초, 1시간은 60분, 3600초가 된다.
따라서 짱 박사가 탄 비행기의 속력은
초속 250m, 시속 900km이다.

시속 구하는 법
1초 : 250m = 3600초 : X
X = 250m×3600초 = 900,000m = 900km

지구가 나를 잡아당겨!

어쩌지? 솔직히 이것으로 우주까지는 무리다.

치이, 최첨단 로봇도 별거 아니네….

그러게.

중력장

어딜 가려고? 이리 와.

제발 좀 놔 줘.

중력

지구 주위의 중력장을 통과해야 우주로 나갈 수 있다.

우주는 그렇게 쉽게 갈 수 있는 곳이 아니야! 지구가 무서운 힘으로 우리를 잡아당기고 있거든. 만약 그 힘을 이겨 내려면 엄청난 에너지가 필요하다고!

지구가 우리를 잡아당긴다고요?

그래, 지구는 중력으로 모든 물체를 잡아당기고 있단다.

＊중력장: 지구의 중력이 물체에 영향을 미치는 공간

1665년 뉴턴은 사과가 땅으로 떨어지는 모습을 보고, 질량이 있는 물체끼리는 서로 잡아당기는 힘이 작용한다는 것을 발견했다. 이것이 '만유 인력의 법칙' 이다.

사과가 꼭 땅으로 떨어지는 건 분명 지구가 사과를 잡아당겼기 때문이야!

툭

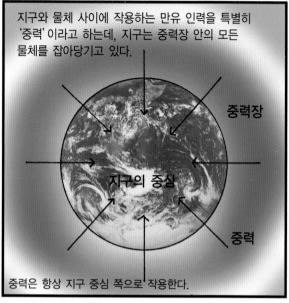

지구와 물체 사이에 작용하는 만유 인력을 특별히 '중력' 이라고 하는데, 지구는 중력장 안의 모든 물체를 잡아당기고 있다.

중력장

지구의 중심

중력

중력은 항상 지구 중심 쪽으로 작용한다.

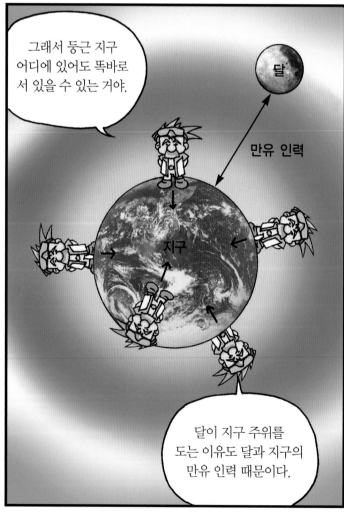

그래서 둥근 지구 어디에 있어도 똑바로 서 있을 수 있는 거야.

달

만유 인력

지구

달이 지구 주위를 도는 이유도 달과 지구의 만유 인력 때문이다.

꼼지야, 몸무게가 얼마나 되냐?

36킬로그램 이요! 왜요?

전… 비밀~

그렇다면 지구가 널 36킬로그램중으로 잡아당기고 있는 셈이다.

오잉?

* 킬로그램중(kgf): 무게의 단위. 질량 1kg의 물체에 작용하는 표준 중력의 크기를 1킬로그램중으로 함

중력을 작게 받는다.

가벼운 사람

중력을 많이 받는다.

무거운 사람

아하, 그래서 무거운 사람일수록 뛰는 데 힘이 드는 거군요!

하지만 키도 크고 덩치도 있는 운동 선수들은 높이 뛸 수 있잖아!

그건 꾸준한 운동을 통해 다리의 근육이 단련되어서 그 힘으로 자신의 중력을 이겨 냈기 때문이야.

BULLS

열심히 운동할수록 근육이 단련되어 큰 힘을 낼 수 있다.

하지만 무게는 지구를 기준으로 잰 것이므로 만약 다른 행성이나 위성에서 무게를 잰다면 달라진다.

36kg

지구

와! 6킬로그램 밖에 안 나가.

6kg

달

달의 중력은 지구의 $\frac{1}{6}$이다.

29

중력을 이겨 내는 우주선

그럼 우주 비행사들은 어떻게 우주로 갈 수 있는 거죠?

지구의 중력을 이기기 위해서는 엄청난 에너지를 사용하는 로켓을 이용하지.

로켓 발사

우아~ 정말 엄청나네요. 저 불꽃 좀 봐!

로켓을 우주로 쏠 수 있게 된 건 불과 50년 전이야.

최초로 사람이 탄 우주선 보스토크 1호(1961년 발사)

그런데 저렇게 큰 보조 로켓들을 달고 올라가면 무겁지 않을까요? 가벼우면 더 잘 올라갈 텐데….

하하! 저 보조 로켓들은 일시적으로 쓰는 거란다.

중력장을 통과하기 위해선 큰 에너지가 필요하다고 했지? 이 때 보조 로켓들은 우주선을 큰 힘으로 띄워 준 후 떨어져 나간단다.

로켓이 분리될 때마다 속도는 점점 빨라지고 무게는 가벼워진다.

2단 로켓 분리

1단 로켓 분리

그럼 돌아올 땐 어떡하죠? 돌아올 때도 그만큼의 연료가 필요한 거 아닌가요?

31

좋은 질문이다!
하지만 지구로 돌아올 땐
연료가 필요 없단다.

당연하지!
돌아올 땐 그냥
중력에 끌려오면
되잖아!

바부팅이!
그렇게 높은 곳에서
떨어지면 박살이
날 텐데?

그…
그런가?

하하! 엄지야,
꼼지의 말이 맞단다.
그냥 떨어지면 돼. 중력에
의해 가속도가 붙긴 하지만
공기에 의한 마찰력 때문에
우주선이 그리 빨리 떨어지지는
않는단다. 대신 불덩이처럼
뜨거워지긴 하지.

중력 가속도에
의해 속도가 점점
빨라지지만 공기의
마찰력도 생긴다.

공기와의 마찰로
인해 열이 발생한다.

아니, 그럼
안에 있는 사람들은
어째요. 다 타 버리고
말잖아요!

걱정 마라.
우주선 안에는 냉각
장치가 있으니까. 게다가
속도를 줄이기 위해서 낙하산을
사용하고, 바다에 떨어지면
우주선은
식는단다.

우리가 밤하늘에서 가끔 보는 별똥별도 지구의 중력 때문이란다!

별똥별!

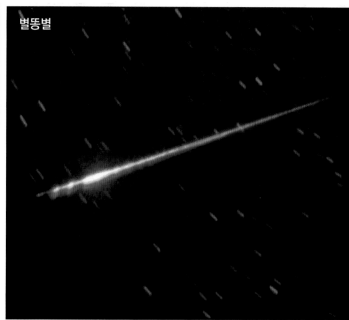

별똥별

별똥별이 생기는 이유는 무엇일까요?

우주 공간을 떠다니는 먼지, 암석의 파편 덩어리, 혜성의 꼬리에서 떨어져 나온 부소러기들이 중력에 의해 지구로 끌려 들어와 대기권과 만나면서 불타올라 빛을 내는 것입니다.

부스러기

혜성

우주의 먼지

중력에 의해 대기권으로 끌려온다.

대기권

속도가 빨라지며 공기와의 마찰로 뜨거워진다.

결국 타면서 사라져 버린다.

지구

별똥별이 떨어질 때 소원 빌면 이루어 진댔으니까…. 난 우주 비행사가 되고 싶어요!

넌 무거워서 안 태워 줄걸?

뭐 얏?

하하, 녀석들. 싸우지들 말고 얌전히 앉아 있거라. 이쯤에서 착륙해 볼까?

어어, 몸이 앞으로 쏠려.

짱 박사! 거기 서시오!

앗! 박사님! 저… 저기!

헉! 여기까지 따라오다니!

터보 엔진 가동!

어이쿠!

아야~ 그렇게 갑자기 속력을 내시면 어떡해요!

그러니까 나처럼 의자에 몸을 꼭 붙이고 있었어야지.

오~ 엄지가 관성에 대해 좀 아는구나!

'관성' 이요?

관성은 움직이던 물체가 계속 그 움직임을 유지하고자 하는 성질을 말한다.

톡

난 계속 앞으로 나갈 거야.

당구공을 치면 당구공은 관성에 의해 계속 앞으로 나아간다.

● 비행기가 갑자기 멈추려 할 때

● 비행기가 멈춰 있다 갑자기 빨라질 때

관성 의 예

비행기와 같은 속도로 가고 있던 사람은 계속 앞으로 나아가려는 성질 때문에 몸이 앞으로 쏠린다.

사람은 계속 멈춰 있으려는 성질 때문에 몸이 뒤로 젖혀진다.

자, 이젠 안전
벨트를 풀고 일어
나도 좋다.

ㅆ애애앵

네? 이렇게 빠르게
날고 있는데 일어
나도 된다고요?

나를 봐!
아무렇지도 않잖아!

진짜네

비행기가 빠른 속도로
날고 있다.

사람은
멈춰 있다.

콰아아아

비행기가 엄청나게 빠르다면
우리는 뒤로 바짝 달라붙어야 하는
거 아닌가? 아까 그랬잖아.

이 파리를 봐.
비행기 안을 여유롭게
움직이고 있잖아!

그… 그럼
파리가 비행기
만큼 빠른 거야?

하하, 녀석. 놀랄 거
없단다. 이 또한 '관성' 에
의한 현상이니까!

버스가 출발할 때 몸이 뒤로 밀리는 것은 몸은 그대로 정지해 있으려는 성질(관성)이 있는데 버스가 앞쪽으로
움직이기 때문이다. 이 때 상체가 뒤로 밀리는 듯한 느낌이 들지만 실제로는 상체는 그대로 있고 하체가
앞쪽으로 움직이는 것이다. 반대로 버스가 멈출 때는 몸이 앞으로 쏠린다.

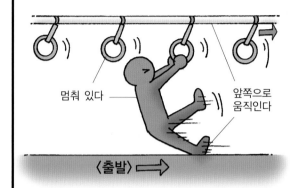

하지만 출발 후에 몸은 곧 안정되는데 이는
버스와 사람이 같은 속도가 되었기 때문이다.

그것은 이 비행기 안의
공기도 비행기와 함께
움직이기 때문이란다.

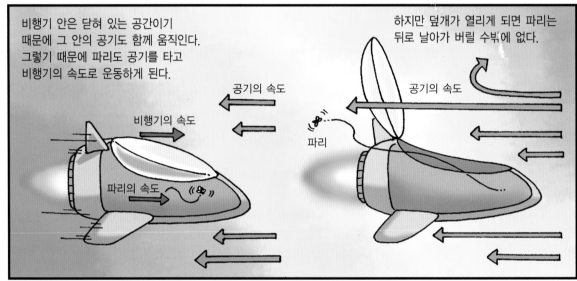

비행기 안은 닫혀 있는 공간이기
때문에 그 안의 공기도 함께 움직인다.
그렇기 때문에 파리도 공기를 타고
비행기의 속도로 운동하게 된다.

하지만 덮개가 열리게 되면 파리는
뒤로 날아가 버릴 수밖에 없다.

공기의 속도

비행기의 속도

파리의 속도

공기의 속도

파리

아하! 덮개가 없는
놀이 기구를 탔을 때랑
같은 원리이군요.

덮개가 없는 놀이 기구를
탔을 때 세찬 바람에
볼살이 밀리는 경우가
이에 해당된다.

그렇다면 문제 하나! 우리가 땅 위에 가만히 서 있다면 우리의 속도는 얼마나 될까?

네? 가만 있는데 속도는 무슨…?

저 알아요! 지구가 자전을 하고 있으니까 우리도 지구의 자전 속도로 움직이는 거죠?

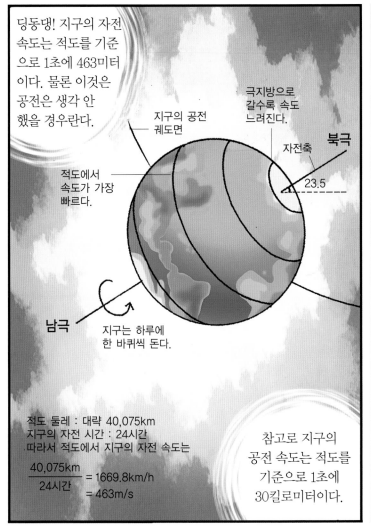

딩동댕! 지구의 자전 속도는 적도를 기준으로 1초에 463미터이다. 물론 이것은 공전은 생각 안 했을 경우란다.

극지방으로 갈수록 속도 느려진다.

지구의 공전 궤도면

자전축

북극

23.5

적도에서 속도가 가장 빠르다.

남극

지구는 하루에 한 바퀴씩 돈다.

적도 둘레 : 대략 40,075km
지구의 자전 시간 : 24시간
따라서 적도에서 지구의 자전 속도는

$$\frac{40,075km}{24시간} = 1669.8km/h$$
$$= 463m/s$$

참고로 지구의 공전 속도는 적도를 기준으로 1초에 30킬로미터이다.

와~ 초속 463미터면 거의 제트기 수준이네요.

헉, 우리가 그렇게 빨리 돌고 있다고? 으, 갑자기 머리가 빙빙 돈다.

어디 꼼지가 제대로 이해했는지 다시 질문! 만약 사람이 공중에 떠 있다면 공짜로 세계 여행을 할 수 있을까?

대한민국

대한민국

히~, 그러고 보니 지구가 도니까 가만히 떠 있으면 세계 여행을 할 수 있겠네요?

이그, 여태껏 뭘 들었니? 우리가 공중에 떠 있더라도 공기도 함께 움직인다고 했잖아!

그래서 지구랑 똑같이 움직일 수밖에 없는 거라구!

제 말이 맞죠, 박사님?

허허, 엄지가 대단하구나.

지구는 닫힌계이기 때문에 공기층은 지구와 함께 움직인다. 만약 그 움직임을 벗어난다면 사람은 엄청난 속도로 불어오는 바람을 견뎌야 할 것이다.

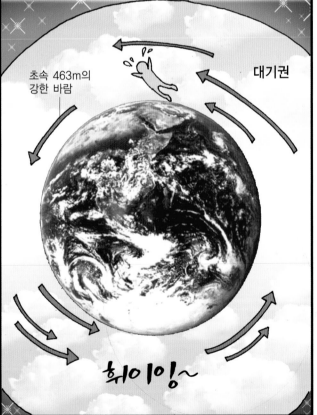

초속 463m의 강한 바람

대기권

훼이이잉~

치이~ 나도 알아.
그냥 공짜라기에 좋아서
그런 거야.

공짜 너무 밝히면
머리카락 다 빠진대!

엑! 그건 무슨
원리냐?

하하하! 어쨌든
관성은 우리 일상
생활에서도 쉽게
볼 수 있단다.

일상 생활 속에서 볼 수 있는 관성

망치의 손잡이는 멈추었지만 망치머리는
관성이 있어서 못을 박게 된다.

추를 매단 실을 돌리면 관성이 생겨서
저절로 여러 바퀴 돌게 된다.

회전력을 얻은 부메랑은 관성에 의해 계속 회전한다.

빠르게 달리던 차가 급정거하게 되면 바로
멈추지 않고 얼마간 더 미끄러진다.

멈추란 말야!—마찰력

자, 이 곳에 내리자.

슈 우 ㅇ

콰 제

큰일이다! 바퀴가 부러졌어!

박사님, 앞에 바위가!

ㅋ ㅋ ㅋ ㅋ

꺄악!

으 락

켁!

패러슈트 모드
작동!

펄
렁

가 가 각.

끼이익

끼이익

으아아악!

휴우~ 진짜 큰일날 뻔했다!

애들아, 괜찮니?

에구머니, 엄지 힘이 대단하구나.

헤헷

끄윽~

어떻게 된 거죠? 전 당연히 바위에 부딪힐 줄 알았어요.

마찰력을 크게 만들어서 비행기의 속도를 최대한 줄였단다.

슥 슥

'마찰력' 이요?

마찰력이란 움직임을 유지하려는 물체를 움직이지 못하게 방해하는 힘이다.

비행기 진행 방향

공기

공기의 저항이 커져서 비행기의 속도가 크게 줄어들게 된다.

또한 갈퀴가 땅을 긁어서 비행기의 속도가 줄어들게 된다.

이렇게 낙하산은 공기와의 마찰력을 크게 만들었고, 갈퀴는 지면과의 마찰력을 크게 만들었지.

앗! 뜨거워.

꼼지, 깨어났구나! 괜찮으냐?

네. 그런데 비행기 표면이 왜 이렇게 뜨거워요?

그건 운동 에너지가 마찰력으로 인해 열에너지로 바뀌었기 때문이란다.

마찰력으로 인한 열에너지로의 전환

● 운동 에너지 ⇨ 열에너지

후끈

끼이익

달리던 자동차의 브레이크를 밟으면 마찰이 생겨 바퀴가 뜨거워진다.

● 전기 에너지 ⇨ 열에너지

으해해해~

후끈 후끈

오랜 시간 텔레비전을 켜 놓으면 전기의 마찰로 인해 텔레비전 뒤가 뜨거워진다.

● 위치 에너지 ⇨ 열에너지

쏴아아아

떨어지는 물로 인한 마찰로 폭포 아래의 수온이 폭포 위쪽보다 더 높다.

이처럼 마찰력은 운동을 방해하지만 그 에너지는 변환되어 보존된단다.

원시인들이 나뭇가지를 비벼서 불을 피운 것도 해당되지요?

엄지가 제대로 이해 했구나. 그래 그것이 바로 마찰력을 이용한 예지.

빙글

빙글

그럼 딱지치기하다 손이 바닥에 스쳐 뜨거웠던 것도 마찰력 때문?

앗, 뜨거워!

철 쎅

싸악

쯧쯧, 아직 어리군.

하여튼 빙판이 아니었기에 망정이지 빙판이었다면 큰일날 뻔했다. 휴우~! 어쨌든 오늘은 마찰력이 우리를 살린 거야.

빙판은 마찰력이 작기 때문에 관성이 크게 작용한다.

그러게요! 정말 큰일날 뻔했네요.

박사님!
저 궁금한 게
있어요.

오잉?

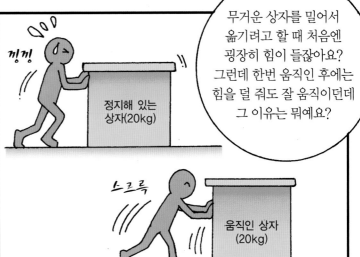

무거운 상자를 밀어서
옮기려고 할 때 처음엔
굉장히 힘이 들잖아요?
그런데 한번 움직인 후에는
힘을 덜 줘도 잘 움직이던데
그 이유는 뭐예요?

정지해 있는
상자(20kg)

움직인 상자
(20kg)

그 또한 물체가
움직이면서 '관성'이
생겼기 때문이란다.

물체를 미는 힘에
관성력이 더해졌으니
더 잘 움직이는 게
당연하겠지?

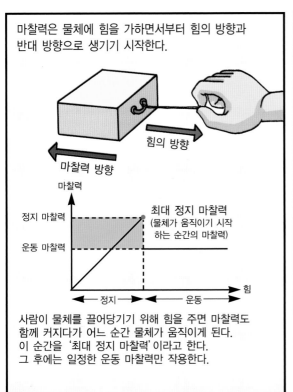

마찰력은 물체에 힘을 가하면서부터 힘의 방향과
반대 방향으로 생기기 시작한다.

힘의 방향

마찰력 방향

마찰력

정지 마찰력

운동 마찰력

최대 정지 마찰력
(물체가 움직이기 시작
하는 순간의 마찰력)

정지 — 운동 — 힘

사람이 물체를 끌어당기기 위해 힘을 주면 마찰력도
함께 커지다가 어느 순간 물체가 움직이게 된다.
이 순간을 '최대 정지 마찰력'이라고 한다.
그 후에는 일정한 운동 마찰력만 작용한다.

또한 지면에 닿는 부분이 많다고 무조건 마찰력이
커지는 건 아니다. 접촉면이 넓은 대신 누르는 힘이
작고, 접촉면이 좁은 대신 누르는 힘이 크기 때문에
지면과의 마찰력은 같다.

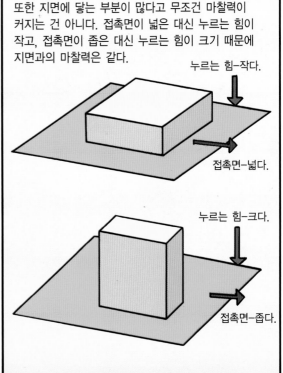

누르는 힘-작다.

접촉면-넓다.

누르는 힘-크다.

접촉면-좁다.

그래도 나는 마찰력이 없는 게 더 좋을 것 같아. 마찰력이 없다면 학교 갈 때 썰매 타듯이 슝슝 미끄러지며 가도 되니까. 흐흐.

좌악

이런이런…. 마찰력이 얼마나 중요한지 아직도 모르는군. 자, 봐라.

앗, 바퀴가 붙어 있지를 못하네.

쓍욱

나사에 마찰력이 없다면 자동차 바퀴들은 전부 떨어져 나갈 것이다.

흔들

탕

흔들

마찰력이 없다면 망치가 못을 박지 못해 건물을 지을 수도 없다.

미끌

쿵

마찰력이 없다면 빙판 위에서 걷는 것처럼 계속 미끄러질 것이다. 걸음을 걷기 위해선 땅을 박차고 나갈 수 있는 마찰력이 필요하기 때문이다.

이 정도면 마찰력이 무엇인지 알았겠지? 수리도 끝났으니 슬슬 움직여 보자.

이그, 통통 튈 때마다 여기 저기에 부딪힐 텐데, 재미는 무슨….

와아~ 재밌겠다.

헉, 이게 뭐 야?

아까 우리가 비행할 때 연료를 너무 많이 소모했거든. 게다가 여기는 돌이 많아서 통통 튀어서 가려고.

걱정 말고 타기나 해.

튀어오르는 힘 — 탄성력

어? 생각보다 안전하네.

그러게.

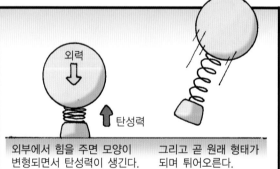

외력

탄성력

외부에서 힘을 주면 모양이 변형되면서 탄성력이 생긴다.

그리고 곧 원래 형태가 되며 튀어오른다.

왜냐하면 이 로봇의 다리가 용수철로 되어 있기 때문이야.

용수철은 힘을 받으면 변형이 되었다가 다시 원래의 모양대로 되돌아 가는 성질이 있지. 이것을 '탄성'이라 하고, 되돌아 가려는 힘을 '탄성력' 이라고 한다.

만약 로봇 다리가 용수철이 아니라면 갑자기 속도가 줄면 사람은 충격을 받게 된다.
하지만 용수철이 줄면서 충격을 흡수하기 때문에 부드럽게 움직일 수 있는 것이다.

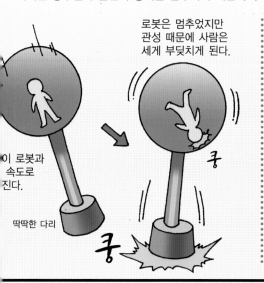

로봇은 멈추었지만 관성 때문에 사람은 세게 부딪치게 된다.

이 로봇과 속도로 진다.

딱딱한 다리

쿵

쿵

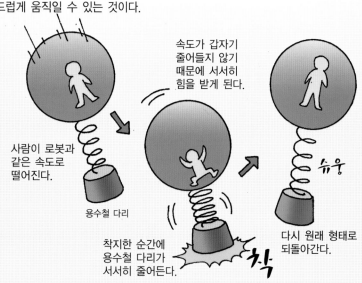

사람이 로봇과 같은 속도로 떨어진다.

용수철 다리

착지한 순간에 용수철 다리가 서서히 줄어든다.

속도가 갑자기 줄어들지 않기 때문에 서서히 힘을 받게 된다.

다시 원래 형태로 되돌아간다.

슈웅

착

탄성력의 이용

트램펄린 용수철이 달려 있어 매트 위에서 튀어 오르거나 공중 회전을 할 수 있다.

활 화살을 줄에 메워 함께 당겼다 놓으면 줄의 탄력으로 화살이 튀어나간다.

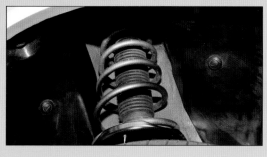

자동차의 현가 장치
차대에 차 바퀴를 고정하여 땅바닥의 진동이 차에 직접 미치지 않도록 하는 완충 장치이다.

앗, 끊어져!—탄성 한계

어어엉

앗! 웬 똥파리? 언제 들어왔지?

좋았어! 내 이 고무줄로 한 방에 보내 주마.

어어엉

팽

팽

팽

앗, 따가워!

허헷

에구에구, 아파라. 이잉….

파리는커녕 파리가 널 잡겠다. 이그~.

꽤나 아프겠군. 고무줄의 '탄성 한계' 를 초과했으니 다칠 수밖에.

'탄성 한계' 요?

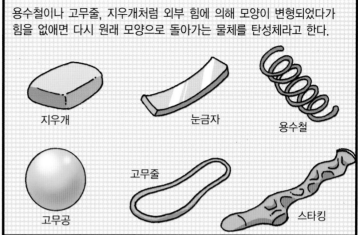

용수철이나 고무줄, 지우개처럼 외부 힘에 의해 모양이 변형되었다가 힘을 없애면 다시 원래 모양으로 돌아가는 물체를 탄성체라고 한다.

지우개

눈금자

용수철

고무공

고무줄

스타킹

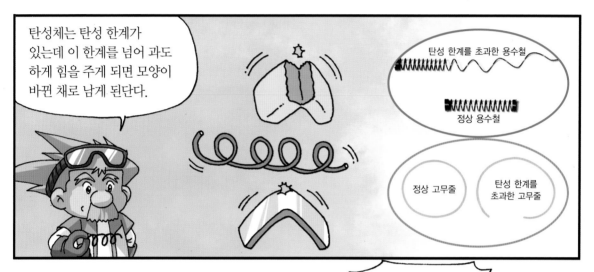

탄성체는 탄성 한계가 있는데 이 한계를 넘어 과도 하게 힘을 주게 되면 모양이 바뀐 채로 남게 된단다.

탄성 한계를 초과한 용수철

정상 용수철

정상 고무줄

탄성 한계를 초과한 고무줄

짱 박사! 거기 서시오!

어라, 아까 박사님을 쫓던 사람들이에요! 끈질기네.

딱 걸렸어.

비행기를 띄우는 힘

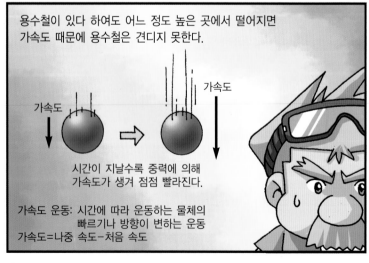

용수철이 있다 하여도 어느 정도 높은 곳에서 떨어지면 가속도 때문에 용수철은 견디지 못한다.

시간이 지날수록 중력에 의해 가속도가 생겨 점점 빨라진다.

가속도 운동: 시간에 따라 운동하는 물체의 빠르기나 방향이 변하는 운동
가속도=나중 속도−처음 속도

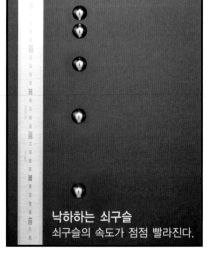

낙하하는 쇠구슬
쇠구슬의 속도가 점점 빨라진다.

흐억! 그럼 어떡해요! 이 어린 나이에 그대로 꼴까닥하는 거예요?

호들갑 떨긴. 쯧.

이번엔 '양력'을 이용할 거다. 글라이더 모드 작동!

딱

슈우우우웅

앗싸, 살았다.

박사님, 최고예요. 근데 양력이 뭐예요?

허허, 칭찬받으니 쑥스럽구먼. 양력이란 공기의 힘으로 뜨는 것을 말해! 새가 날 수 있는 것도 양력 때문이란다.

그런데 새는 날개를 퍼덕이며 날지만 글라이더 날개는 움직이지 않잖아요!

그런데 왜 떨어지지 않고 오랜 시간 떠 있을 수 있는 거예요?

하하, 양력을 알면 이해될 거다. 근데 양력을 알려면 우선 기압부터 알아야 해.

너희 '기압' 이란 말은 들어 봤지?

일기 예보에서 고기압, 저기압 하는 건 들어 봤는데 자세히는 몰라요. 헤헤~.

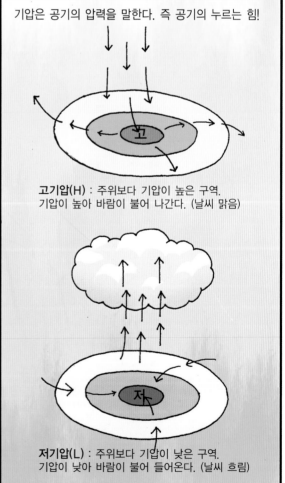

기압은 공기의 압력을 말한다. 즉 공기의 누르는 힘!

고기압(H) : 주위보다 기압이 높은 구역. 기압이 높아 바람이 불어 나간다. (날씨 맑음)

저기압(L) : 주위보다 기압이 낮은 구역. 기압이 낮아 바람이 불어 들어온다. (날씨 흐림)

● 수압과 공기압 비교

수압이 낮다.

수압이 높다.

물

기압이 낮다.
(공기가 희박)

기압이 높다.

공기

공기도 물과 같이 무게를 가진 물질이기 때문에 아래쪽으로 갈수록 기압이 높아진단다.

엄지야, 산에 올라가서 밥을 해 먹어 본 적 있니?

네! 그런데 밥이 제대로 안 익어서 맛이 없었던 기억이 나요.

또한 높은 산일수록 산소가 희박하여 높은 산에 오르는 산악인들은 산소통을 준비해 가지고 다닌다.

낑낑~

높은 산에서는 기압이 낮다. 기압이 낮으면 물의 끓는점도 낮아진다. 물은 섭씨 100도에서 끓는데, 높은 산에서는 섭씨 90도 정도에서 끓게 된다. 따라서 밥이 설익게 되는 것이다.

근데요, 박사님!
솔직히 기압 설명을
들었어도 양력과는
무슨 관계가 있는지
잘 모르겠어요.

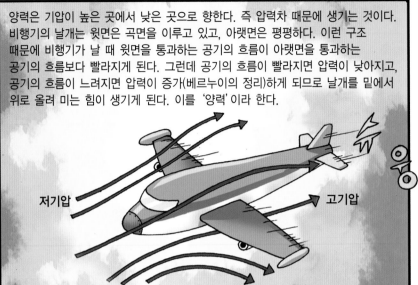

양력은 기압이 높은 곳에서 낮은 곳으로 향한다. 즉 압력차 때문에 생기는 것이다.
비행기의 날개는 윗면은 곡면을 이루고 있고, 아랫면은 평평하다. 이런 구조
때문에 비행기가 날 때 윗면을 통과하는 공기의 흐름이 아랫면을 통과하는
공기의 흐름보다 빨라지게 된다. 그런데 공기의 흐름이 빨라지면 압력이 낮아지고,
공기의 흐름이 느려지면 압력이 증가(베르누이의 정리)하게 되므로 날개를 밑에서
위로 올려 미는 힘이 생기게 된다. 이를 '양력'이라 한다.

저기압   고기압

이제 좀 이해가 됐느냐?
새와 하늘다람쥐의 비행
원리도 같은 이치란다.

아, 이 원리만 알았어도
모형 항공기 대회에서
상타는 거였는데….

치이, 3초 만에 추락한
주제에 원리만 안다고
상타니?

그건 네가 비행기의 앞뒤
날개의 균형을 못
맞추었기 때문이야.

● 모형 비행기의 앞이 무거울 때

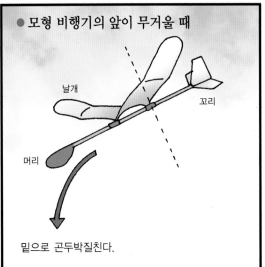

날개

꼬리

머리

밑으로 곤두박질친다.

● 모형 비행기의 뒤가 무거울 때

머리

날개

꼬리

솟구쳐 오르다가
그대로 추락한다.

비행기는 앞뒤
날개의 무게 균형이
중요하단다.

오케이! 다음
번엔 전국 대회
우승이다!

제발 반에서
1등부터 하고
얘기해.

● 행글라이더

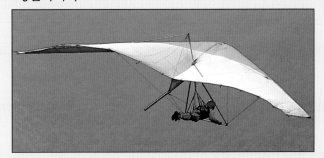

공기의 양력을 이용하여 비행한다. 동력을 전혀 사용하지 않으며
처음 높이보다 50~60m 높이까지 떠오를 수 있다. 속도가 시속
40~120km로 빠른 편이다.

● 패러글라이더

행글라이더와 마찬가지로 공기의 양력을 이용하여 비행한다.
낙하산처럼 줄로 날개를 움직여 속도와 방향을 조정한다.
시속 20~30km 정도로 행글라이더에 비해 속도가 느리다.

자, 여기서부터는 자동차로 변신해서 가자!

카 모드!

와, 멋지다! 근데 연료가 없다고 하셨잖아요.

여긴 높은 곳이니까 바퀴만 굴리면 그냥 내려가잖아! 생각 좀 해라.

'아하~!

그래 엄지 말대로 높은 곳에 있는 물체는 낮은 곳으로 내려갈 수 있는 에너지를 가지고 있단다. 물레방아처럼.

위치 에너지

게다가 이 자동차는 발전기가 달려 있어서 바퀴가 돌 때마다 충전이 된단다.

이거야말로 일석이조지!

자, 그럼 출발해 볼까?

원심력과 구심력

어머! 내가 그렇게 좋냐, 자꾸 달라붙게.

치이, 몸이 저절로 그 쪽으로 움직이는 걸 어떡해?

변명 마. 이쁜 건 알아가지고.

엄마야!

내가 그렇게 좋냐?

흥! 박사님, 우리 천천히 내려가요!

그러고 싶지만 가속도가 붙어서 나도 어쩔 수 없다. 그리고 차가 회전할 때 몸이 바깥쪽으로 쏠리는 건 '원심력' 때문이야.

원심력?

쇼트 트랙 경기에서 선수들이 커브를 돌 때 몸을 안쪽으로 기울이는 이유는 원심력에 의해 바깥으로 밀려나는 것을 방지하기 위해서이다.

원심력은 관성의 일종으로, 물체가 원운동할 때 원 바깥으로 움직이려는 성질을 말한다.

원심력을 이용한 놀이 기구

원심력을 이기는 방법은 커브 안쪽의 무게를 늘리는 것이다. 또한 원심력에 의해 물체가 바깥으로 튀어나가지 않게 잡아 주는 힘은 구심력이라고 한다.

구심력이 없으면 차는 벼랑 밑으로 떨어지게 된다.

구심력

원심력

자동차가 커브를 돌 때는 바퀴와 차도의 마찰력이 구심력으로 작용한다.

원심력… 구심력… 정말 헷갈려!

자동 운전 모드 실행중

자, 봐 봐. 여기 회전하는 구슬이 있지? 이 구슬은 자꾸 밖으로 날아가려고 하지?

그게 원심력이라는 거죠?

그래. 그런데 왜 밖으로 날아가지 않을까?

에이, 그야 실로 잡고 계시니까 그렇죠.

빙고! 그게 바로 구심력이야!

켁!

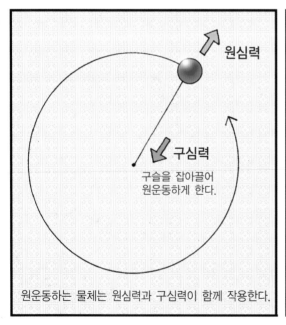

원심력

구심력

구슬을 잡아끌어 원운동하게 한다.

원운동하는 물체는 원심력과 구심력이 함께 작용한다.

그럼 달이 지구 주위를 돌고 있는 것도 원심력과 구심력 때문인가요?

달

만유 인력

지구

지구의 인력
(구심력)

달

태양의 인력
(구심력)

수성

금성

태양

화성

지구

달뿐만이 아니고 인공 위성 그리고 더 넓게는 태양계 전체에도 같은 원리가 작용한단다.

엄지, 너를 내 수제자로 키워야겠구나! 아주 똑똑해.

우띠... 저는요.

히힛~

꼼지는 수제비로 키워 주시면 되겠네요.

하하~

크흐~

메롱

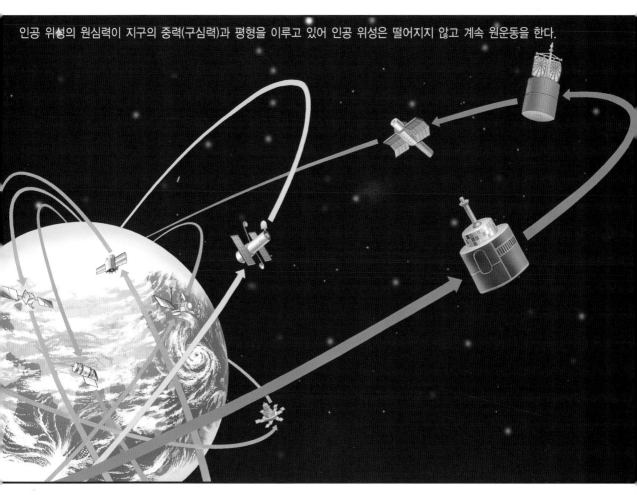

인공 위성의 원심력이 지구의 중력(구심력)과 평형을 이루고 있어 인공 위성은 떨어지지 않고 계속 원운동을 한다.

앗! 산 밑에 군인들이 있어요!

음~ 우리의 행방을 미리 알고 밑에서 기다리고 있었군.

큭큭, 이젠 더 이상 도망갈 곳이 없겠지? 연료도 바닥났을 테고.

큰일이네! 여기선 후진할 수도 없잖아요.

아냐, 좀더 빨리 내려가야겠다!

네? 아래에는 박사님을 잡으려는 사람들이 있는데요?

이제 포기하시는 거예요?

조금만 더 에너지가 모이면 다시 하늘을 날 수 있을지도 몰라. 그러니….

흐흐, 이젠 포기 하셨나 보군!

조금만… 조금만 더…!

자! 안전하게 멈출 수 있도록 매트를 단단히 쌓아라!

옛!

좋아, 지금이다 로켓 모드 작동!

콰

아

앙

으아악~

슈아악

아, 아니 아직도 저런 에너지가 남아 있다니….

대장님! 땅이 파였습니다.

이런 바부팅이! 땅을 박차고 올라 갔으니 땅이 파이는 게 당연하지!

와, 박사님, 대단해요! 갑자기 하늘로 치솟다니.

하하하! 별것 아냐.

이건 '작용 반작용의 원리' 란다.

작용
로켓이 땅을 미는 힘

반작용
땅이 로켓을 미는 힘

순간적으로 강한 힘을 땅으로 발사하게 되면 그 반작용에 의해 로켓이 날아가는 거란다.

한 물체가 다른 물체에 힘을 가하면 작용 반작용이 나타난다. 두 힘은 크기는 같고 방향은 반대로 작용한다.

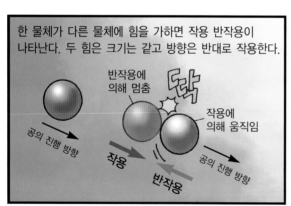

반작용에 의해 멈춤

작용에 의해 움직임

공의 진행 방향

작용

반작용

공의 진행 방향

총을 쏠 때 몸이 뒤로 밀리는 것도 작용 반작용의 원리이다.

반작용

작용

권투 경기에서 때리는 선수나 맞는 선수나 같은 힘을 받는다. 단, 힘의 방향이 반대일 뿐이다.

반작용

작용

소형 로켓을 발사하는 '무반동포'는 반작용을 모두 뒤쪽으로 보내어 사람이 직접 쏠 수 있게 만든 것이다.

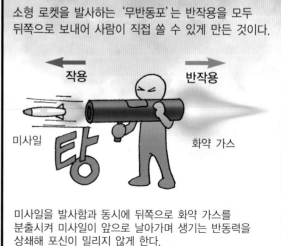

작용

반작용

미사일

화약 가스

미사일을 발사함과 동시에 뒤쪽으로 화약 가스를 분출시켜 미사일이 앞으로 날아가며 생기는 반동력을 상쇄해 포신이 밀리지 않게 한다.

어, 이상하네. 작용 반작용은 같은 힘이라는데, 축구할 때 내가 덩치 큰 친구를 먼저 밀었는데 왜 내가 밀려 나갔지?

헉!

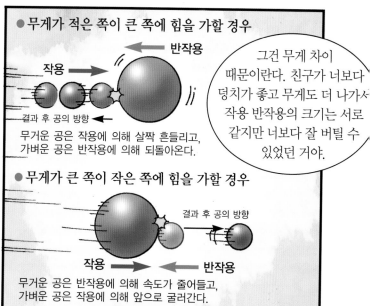

● 무게가 적은 쪽이 큰 쪽에 힘을 가할 경우

반작용

작용

결과 후 공의 방향

무거운 공은 작용에 의해 살짝 흔들리고, 가벼운 공은 반작용에 의해 되돌아온다.

● 무게가 큰 쪽이 작은 쪽에 힘을 가할 경우

결과 후 공의 방향

작용 반작용

무거운 공은 반작용에 의해 속도가 줄어들고, 가벼운 공은 작용에 의해 앞으로 굴러간다.

그건 무게 차이 때문이란다. 친구가 너보다 덩치가 좋고 무게도 더 나가서 작용 반작용의 크기는 서로 같지만 너보다 잘 버틸 수 있었던 거야.

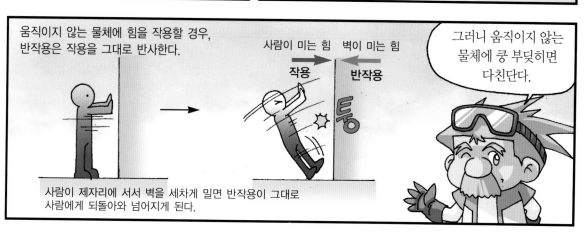

움직이지 않는 물체에 힘을 작용할 경우, 반작용은 작용을 그대로 반사한다.

사람이 미는 힘 벽이 미는 힘

작용 반작용

통

사람이 제자리에 서서 벽을 세차게 밀면 반작용이 그대로 사람에게 되돌아와 넘어지게 된다.

그러니 움직이지 않는 물체에 쿵 부딪히면 다친단다.

● 작용-반작용의 또다른 예

도움닫기를 세차게 할수록 높이 뛰어오를 수 있다.

사람이 물을 몸쪽으로 끌어 낸 만큼 물이 사람을 밀어 내기 때문에 앞으로 나갈 수가 있다.

피사의 사탑 실험

그런데 박사님! 우리 어디까지 올라가는 거예요?

사실은 이미 연료가 떨어져서 그대로 떨어지고 있단다.

네? 그런데 왜 느끼지 못 하는 거죠?

우리도 로켓과 같은 속도로 떨어지고 있으니까…

근데 무거운 물체 일수록 더 빨리 떨어지는 거 아닌가요? 그럼 우린 엄청나게 빨리 떨어지고 있는 거네요. 그렇죠?

아니야. 너희 이탈리아의 과학자 갈릴레이의 '피사의 사탑 실험' 이야기를 들어 본 적 있느냐?

이 실험 이야기는 나중에 밝혀진 바에 의하면 실제 실험한 것은 아니라고 한다.

모양은 같고 크기와 무게가 다른 쇠구슬

동시에 떨어진다.

갈릴레이는 '무게가 무거운 물체일수록 빨리 떨어진다.' 는 사람들의 생각에 반대하여 피사의 사탑에서 크기가 다른 2개의 쇠구슬을 동시에 떨어뜨리는 실험을 하였다고 한다. 이 실험 이야기로 알 수 있는 사실은 공기에 의한 저항이 무시할 만큼 충분히 작다면 낙하하는 모든 물체는 질량에 관계없이 중력 가속도가 9.8m/s²로 일정하다는 것이다.

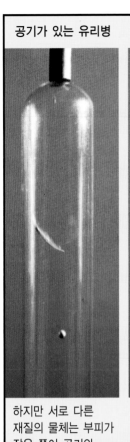

공기가 있는 유리병	진공 유리병

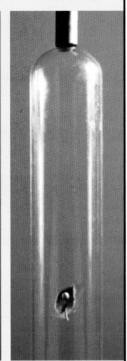

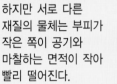
하지만 서로 다른 재질의 물체는 부피가 작은 쪽이 공기와 마찰하는 면적이 작아 빨리 떨어진다.

진공 상태에서는 모든 물체가 같은 속도로 떨어진다.

그나저나 박사님, 빨리 글라이더로 변신해야 하지 않을까요?

아, 맞다! 내 정신 좀 봐!

글라이더 모드 작동!

야호!

헉! 리모컨이 고장 났나 봐. 변신이 안 된다!

꺄악! 그럼 어떡해요!

배를 뜨게 하는 힘

끼아악!

휴우~ 우리가 떨어진 곳이 바다여서 천만다행이구나.

이번엔 정말 죽는 줄 알았어요.

둥실

둥실

이젠 더 이상 도망갈 곳이 없으니 순순히 따라오시오!

짱 박사! 당신은 포위됐소!

흠, 내가 이대로 포기할 것 같은가?

뭘 잘못하셨는지는 몰라도 그만 자수 하시는 게….

맞아요!

어림없는 소리! 오케이, 리모콘이 다시 작동된다. 잠수함 모드 작동!

와, 어떻게 된 거죠? 방금까지도 떠 있었는데….

하하, 잠수함의 원리를 안다면 별거 아니야.

그리고 너희도 간단히 잠수함을 만들 수 있어!

그… 그럴 리가….

부력: 액체나 기체 속에 있는 물체가 그 표면에 작용하는 압력에 의해서 중력에 반하여 위쪽으로 뜨게 되는 힘

잠수함은 물의 부력을 이용한 거란다.

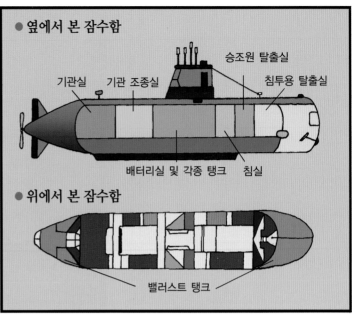

● 옆에서 본 잠수함

기관실　기관 조종실　승조원 탈출실　침투용 탈출실

배터리실 및 각종 탱크　침실

● 위에서 본 잠수함

밸러스트 탱크

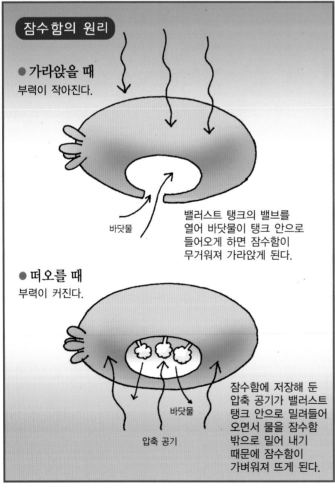

잠수함의 원리

● 가라앉을 때
부력이 작아진다.

바닷물

밸러스트 탱크의 밸브를 열어 바닷물이 탱크 안으로 들어오게 하면 잠수함이 무거워져 가라앉게 된다.

● 떠오를 때
부력이 커진다.

바닷물

압축 공기

잠수함에 저장해 둔 압축 공기가 밸러스트 탱크 안으로 밀려들어 오면서 물을 잠수함 밖으로 밀어 내기 때문에 잠수함이 가벼워져 뜨게 된다.

자! 여기도 잠수함이 있다.

성냥개비 하나를 물이 들어 있는 이 병에 넣고….

쏙

성냥개비

뚜껑을 막고 이렇게 누르면?

꾸욱

어! 성냥개비가 가라앉네요?

병에서 손을 떼면

아, 이번에는 다시 떠올랐어!

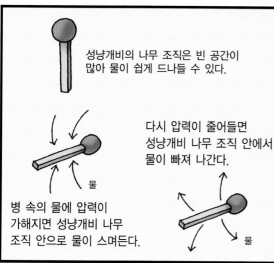

성냥개비의 나무 조직은 빈 공간이 많아 물이 쉽게 드나들 수 있다.

물

다시 압력이 줄어들면 성냥개비 나무 조직 안에서 물이 빠져 나간다.

병 속의 물에 압력이 가해지면 성냥개비 나무 조직 안으로 물이 스며든다.

물

사람이 물에 뜰 수 있는 것도 부력 때문이다.

부력은 물과 닿는 부피가 클수록 커진다.

그런데 왜 난 물에만 들어가면 가라앉지?

몸을 최대한 눕혀서 부력을 크게 만들어야 하는데, 넌 몸을 바로 세워서 그래!

우쭐

꼼지 말이 맞다. 부력을 최대한 크게 하면 무거운 철선도 뜨게 할 수 있다.

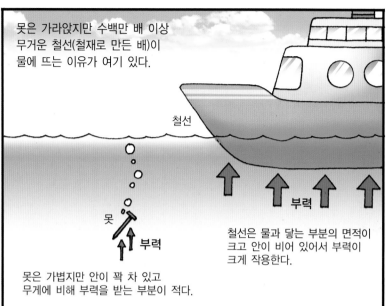

못은 가라앉지만 수백만 배 이상 무거운 철선(철재로 만든 배)이 물에 뜨는 이유가 여기 있다.

철선

못

부력

부력

철선은 물과 닿는 부분의 면적이 크고 안이 비어 있어서 부력이 크게 작용한다.

못은 가볍지만 안이 꽉 차 있고 무게에 비해 부력을 받는 부분이 적다.

이순신 장군도 그 원리를 깨닫고 세계 최초로 철선인 거북선을 만들어 왜적을 물리치신 거란다.

와, 대단해!

운동량과 충격량

꼼지야, 괜찮으냐?

에구구... 여기가 천국이냐 지옥이냐!

음, 다행이다.

나를 지옥에서 볼 리는 없잖아?

그나저나 잠수함이 엄청나게 찌그러져서 어떡해요.

····

일부러 이 로봇을 잘 찌그러지는 재질로 만들길 잘했군.

?!

네? 일부러 잘 찌그러지게 만들었다고요?

그래. 만약 단단한 재질이었다면 우린 아마도 더 크게 다쳤을 게다.

단단하면 더 다친
다는 게 이해가
안 돼요.

자동차처럼 단단한 물건끼리 세게
충돌하면 어떻게 되겠니? 이처럼
왕창 찌그러지겠지? 이런 경우
'충격력' 이 크다고 한단다.

만약 뚱뚱한 사람이 두꺼운 옷을 입고 있는데 야구공이 빠른
속도로 날아와 그 사람의 배에 맞았다. 그러면 그 사람이 받게
되는 충격력은 얼마나 될까?

퍽

휙

큭큭, 하나도
안 아플 것
같은데요….

조금 아프다
말겠죠, 뭐.

그럼 같은 속도의
야구공을 머리에
맞는다면?

슥

어머… 그럼
큰일나죠.

그렇겠지? 그러나 두
경우, 운동량과 충격량은
같단다. 단지 '충격력' 이
다를 뿐이야.

운동량?
충격량? 그건
또 뭐예요?

운동량은 질량을 가진 물체가 어느 정도의 속도를 내고 있는가를 뜻한다.

따라서 두 사람이 같은 속도로 달릴 때 뚱뚱한 사람의 운동량이 더 크다.

운동량 = 질량 × 속도

단위: kg · m/s

물체는 충돌하는 순간 속도가 줄어든다. 충격량은 이렇게 충돌 후 변화된 운동량의 값을 말한다.

충격량 = 질량 × (나중 속도 – 처음 속도)

단위: N · s

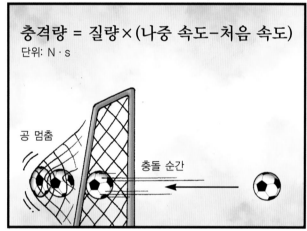

그리고 충격력은 충격량이 어느 정도의 시간 동안 지속되었는가를 말한다. 따라서 충격량이 일정하다면 시간이 짧을수록 충격력이 커진다.

$$충격력 = \frac{충격량}{시간}$$

이 세 가지 식으로 알 수 있듯이 충격량은 운동량의 변화량이므로 야구공에 두꺼운 옷을 입고 배를 맞든 머리를 맞든 운동량과 충격량은 같게 되는 것이다.

다만 뚱뚱한 사람이 두꺼운 옷을 입고 야구공에 배를 맞으면, 그 순간 옷에 의해 공의 속도가 줄어들고 그 다음 배의 가죽에 의해 속도가 또 줄어들게 된다. 이렇게 공이 속도가 줄면서 몸에 닿는 시간이 길기 때문에 충격력은 작아진다.

그러나 야구공을 머리에 맞을 때는 흡수할 것이 없어 짧은 시간에 그대로 머리에 닿게 된다. 그러면 충격력이 커져 크게 다칠 수밖에 없다.

으흭!

야구 글러브를 끼고 공을 받을 땐 괜찮은데 맨손으로 공을 받으면 손이 무지하게 아픈 것도 같은 이유지요?

아하, 그러니까 잠수함이 부딪힐 때 찌그러지면서 충격을 받는 시간이 늘어나 충격이 적었던 거로군요.

여러 가지 충격 흡수 장치들

자동차 사고 시 충격을 흡수하는 에어 백

앞 차와 충돌할 때 충격을 흡수하는 범퍼

태권도할 때 충격을 흡수하기 위해 착용하는 보호 장비

유도 연습할 때 넘어져도 충격을 덜 하게 하는 매트

와, 찌그러진 게 다시 원상 회복 되었네.

이 가방은 특수 형상 기억 합금으로 만들어져서 원상 회복이 가능한 거란다. 그런데 문제는 에너지가 없다는 거야.

에너지라 하면 석유를 말하나요? 아님, 건전지?

하하. 에너지의 종류는 아주 다양하단다. 멈춰 있는 물체를 운동하게 할 수 있는 것은 모두 에너지가 될 수 있지. 에너지는 〈Why? 핵과 에너지〉 편에 잘 나와 있으니 간단하게만 설명해 줄게.

에너지와 열

에너지는 위치, 열, 빛, 운동, 전기 에너지와 같이 다양한 형태로 존재한단다.

에너지 보존의 법칙

너희 '에너지 보존의 법칙' 이라고 아느냐?

에너지 보존이요?

에너지를 아끼는 법 이겠지, 뭐.

그게 아니야. 에너지는 새로 만들어지지도 없어지지도 않고, 다만 다른 형태의 에너지로 바뀐다는 이야기야.

에이, 저 가방도 에너지를 다 써 버렸기 때문에 멈춘 거잖아요.

아니야, 생각해 보면 밥을 먹는 다고 밥이 그냥 사라지는 건 아니잖아.

엄지 말처럼 잘 생각해 보아라.

밥을 먹으면 우리 몸에 에너지가 생겨 우리가 힘을 쓸 수 있게 해 주잖니.

그래서 농사도 짓고, 건물도 짓고 할 수 있는 거야. 그리고 그런 일들을 통해 다른 에너지가 만들어진단다.

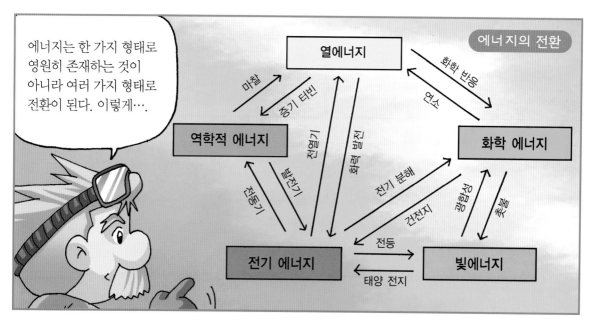

에너지는 한 가지 형태로 영원히 존재하는 것이 아니라 여러 가지 형태로 전환이 된다. 이렇게….

에너지의 전환

열에너지 / 역학적 에너지 / 화학 에너지 / 전기 에너지 / 빛에너지

마찰 / 증기 터빈 / 화학 반응 / 연소 / 전열기 / 원자력 발전 / 전기 분해 / 전동기 / 발전기 / 건전지 / 광합성 / 광전 / 전등 / 태양 전지

에너지의 순환

대부분의 에너지는 태양 에너지로부터 전환된 것이다. 이 때 그 형태는 변하여도 양은 변하지 않고 순환된다.

위로 올라간 수증기는 찬 공기와 만나 뭉쳐 구름이 된다.

무거워진 구름은 비가 되어 아래로 떨어진다.

기온이 높아질수록 많은 수증기가 위로 올라간다.

태양 에너지

위치 에너지가 된다.

물이 증발된다.

엔트로피 증가의 법칙

하지만 물질을 태우고 남은 재는 아무 쓸모 없잖아요.

아니지. 재는 흙의 미생물에게는 아주 쓸모 있단다. 그러니 에너지 보존의 법칙은 성립되는 것이지.

대신 성냥개비처럼 한번 사용한 에너지는 다른 형태로 바뀌어서 다시 사용할 수 없게 된단다.

이렇듯 에너지는 항상 쓸 수 있는 에너지에서 쓸 수 없는 에너지로 바뀌어 간다. 이것을 과학적으로 설명하는 법칙이 바로 '엔트로피 증가의 법칙' 이란다.

엔트로피?

쓰레기도 에너지를 다 써서 쓸 수 없는 에너지가 된 것이다.

엔트로피 증가의 법칙이란?

열역학 제2법칙이라고도 합니다. 엔트로피 증가의 법칙은 엔트로피, 즉 무질서도가 항상 증가한다는 것입니다. 예를 들어 물에 잉크를 떨어뜨리면 점점 퍼지면서 무질서해집니다. 이것을 엔트로피가 증가했다고 합니다. 반면 자연적으로 흩어진 잉크는 다시 모이지 않습니다. 이처럼 엔트로피는 항상 증가하는 방향으로만 일어납니다. 또한 에너지의 경우 질서 있는 상태에 있을 때는 가지고 있는 에너지를 다 일로 쓸 수 있지만, 에너지가 전환될 때마다 자연적으로 엔트로피가 증가하게 되므로 이런 무질서한 에너지는 일을 할 때 쓸 수가 없습니다.

따라서 우리는 최대한 엔트로피가 생기지 않도록 에너지를 효율적으로 사용해야 한단다.

분리 수거를 하면 다시 재생할 수 있는 것들을 재활용할 수 있게 되어 쓰레기도 줄이고 에너지도 절약할 수 있다. 분리 수거함

또한 석유 같은 화석 연료는 점점 고갈되고 찌꺼기도 많이 생기지만 태양열, 파력, 핵융합, 지열 발전 등은 보유량이 풍부하고 찌꺼기도 남지 않아 계속 연구 발전시키는 것이 중요하다.

풍력 발전

핵융합 발전

태양열 발전

지열 발전

파력 발전

중수소 삼중 수소

우리도 에너지를 효율적으로 사용하려면 공부를 열심히 해야 해.

엄마가 해 주신 밥 먹고 공부해서 훌륭한 사람이 되면 많은 이익을 남기지만

밥 먹고 놀기만 하면 쓸모 없는 사람이 된다는 거지? 헤헤.

우리 몸에도 전기가 있다

네? 우리 몸에 전기가 있다고요? 우리가 전기뱀장어도 아니고….

그리 놀랄 것 없어. 전기는 우리 몸뿐만 아니라 이 수풀과 심지어 땅 속에도 있으니까.

짜리릿

에이, 말도 안 돼. 그럼 왜 감전되지 않는 거죠?

그리고 그렇게 전기가 풍부하다면 왜 전기를 아껴야 하는 거죠?

그건 전기의 세기가 너무 약해서 느끼지 못하는 것뿐이야. 모든 물질에는 전기가 있단다.

'전자'라고 들어 봤나?

혹시 전자 제품의 '전자' 말씀인가요?

전자 제품들

냉장고

정수기

그래, 전자 제품은 전자를 이용하기 때문에 전자 제품이라 하지.

전자

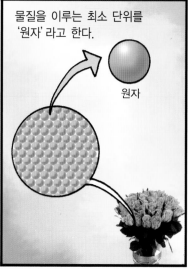

물질을 이루는 최소 단위를 '원자' 라고 한다.

원자

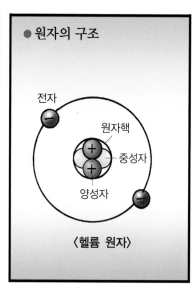

● 원자의 구조

전자

원자핵

중성자

양성자

〈헬륨 원자〉

원자의 양성자는 +전하를, 전자는 −전하를 띤다.
그런데 원자는 양성자와 전자가 똑같은 수로 채워져
있기 때문에 전기적으로 중성을 나타낸다.

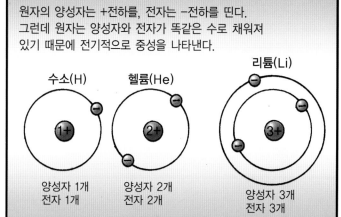

수소(H)

헬륨(He)

리튬(Li)

1+   2+   3+

양성자 1개
전자 1개

양성자 2개
전자 2개

양성자 3개
전자 3개

그런데 전자가 외부의 힘에 의해 떨어져 나가거나 채워지면
원자는 전기적 중성이 깨져 전기를 띠게 된다.

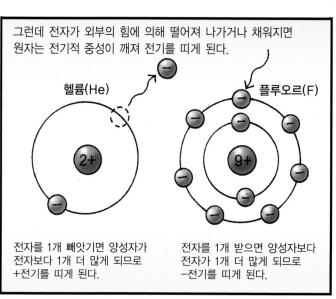

헬륨(He)

플루오르(F)

2+   9+

전자를 1개 빼앗기면 양성자가
전자보다 1개 더 많게 되므로
+전기를 띠게 된다.

전자를 1개 받으면 양성자보다
전자가 1개 더 많게 되므로
−전기를 띠게 된다.

이런 −전하를 띤 전자들을 전선을
따라 흐르게 하면 여러 가지 전자
제품을 사용할 수 있게 된다.

전류와 전압

자! 그럼 꼼지 몸부터 분해해 볼까?

흐익! 전 건전지가 아니란 말예요!

파다닥

하하, 농담이다. 저기 엄청난 양의 전기가 있구나.

어디요?

두리번 두리번

송전탑

서, 설마 저 전선에서?

맞아. 저기서 조금만 빌리기로 하자꾸나.

송전탑 발전소에서 전기를 필요로 하는 지역의 변전소까지 전기를 운반하기 위해 설치

위험하지 않을까요? 송전탑의 전선에는 '고압 전류'가 흐른다던데…. 감전되면 순식간에 타 죽는대요.

허허, 근데 고압 전류의 뜻은 알고 쓰는 거냐?

이그, 뜻도 모르고 말했던 거야?

그게… 그러니까 고압 전류는 뭔가 굉장히 세다는….

고압은 '전압'이 높다는 뜻이고, '전류'는 아까 얘기한 대로 -전하를 띤 전자가 전선을 따라 흐르는 현상을 말해.

전압, 전류에 대해 좀더 자세히 알아볼까?

전압: 전선에 전류를 흐르게 하는 능력. 전압이 높으면 전류가 세게, 전압이 낮으면 전류가 약하게 흐른다. 단위 볼트(V)

전류: 전선의 어느 지점을 통과하는 단위 시간당 전하량으로 양전하가 이동하는 방향이다. 단위 암페어(A)

TC-300(여행용충전기)
정격입력 전압: AC100V - 240V, 50Hz/60Hz 0.15A
정격출력 전압: DC4.2V / 0.75A
사담 : 080-345-5555/02-850

어댑터에 표시되어 있는 전압(V)과 전류(A)

어렵지? 그럼 전기가 어디서부터 오는지는 아느냐?

화력 발전소

에이~ 그것도 모를까 봐요?

발전소요!

발전소

꼼지네 집

그래! 그런데 수백 킬로미터나 떨어진 각 가정까지 전기를 보낸다는 것이 신기하지 않니?

전선을 길게 해서 보내는 건데 뭐가 신기해요?

그럼 긴 호스가 있다면 한강물을 너희 집까지 끌어갈 수 있겠느냐?

무… 물이요?

물을 끌어가려면 펌프가 있어야 되는데….

내 말이 그 말이야…

그렇지! 물을 먼 곳까지 보내려면 엄청난 힘(압력)이 있어야 해.

사람이 직접 물통을 지고 운반하는 힘만큼 말이다.

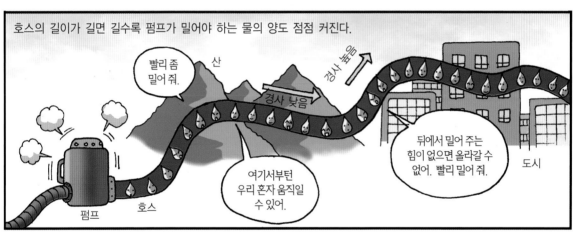

호스의 길이가 길면 길수록 펌프가 밀어야 하는 물의 양도 점점 커진다.

빨리 좀 밀어 줘.

산

경사 높음

경사 낮음

여기서부턴 우리 혼자 움직일 수 있어.

뒤에서 밀어 주는 힘이 없으면 올라갈 수 없어. 빨리 밀어 줘.

도시

펌프

호스

그렇지만 물과 전기는 다르지 않나요?

물과 마찬가지로 전기도 엄청난 수의 전자가 모여 흘러야 들어오는 것이다.

콘센트

플러그

전선

전선 속의 전자

전자는 아주 작지만 질량을 가지고 있다. 따라서 밀어 주는 힘이 없다면 절대 흐를 수 없다.

전자 1개의 질량
9.1090×10^{-28}g

아! 그러니까 전자를 밀어 주는 힘이 '전압' 이군요!

그럼 이 작은 건전지에도 전자를 밀어 주는 펌프가 들어 있다는 말인가?

당연하지. 여기 1.5볼트(V)라고 써 있지?

즉 1.5볼트의 힘을 내는 펌프가 들어 있다는 말이야.

그런데 궁금한 게 있어요. 아까 전류는 전자가 이동해서 생기는 거라면서, 왜 방향은 양전하가 흐르는 방향이라고 하는 거죠?

전류의 흐름

음, 역시 엄지는 예리하구나. 건전지에는 −극과 +극이 있지? 이 때 전자는 건전지의 −극에서 외부의 전선을 지나 +극 쪽으로 이동한다.

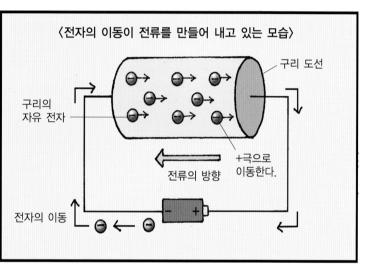

〈전자의 이동이 전류를 만들어 내고 있는 모습〉

구리 도선

구리의 자유 전자

전류의 방향

+극으로 이동한다.

전자의 이동

그런데 전류의 방향을 반대로 이야기하는 것은 전자보다 전기가 먼저 발견되었기 때문이다. 전기를 발견한 후 과학자들은 전기에 대한 법칙을 빨리 만들어야 했으므로 임의대로 양전하를 기준으로 방향을 정하였다.

전기를 만들어 내는 근원을 알 수 없으니….

그냥 +극에서 −극으로 흐른다고 합시다.

그 후 전자가 전기의 근원임을 알아냈지만 오랜 시간 사용되어 왔던 법칙을 깰 수가 없어서, 그냥 전류는 실제 전자의 이동과 반대 방향인 +극에서 −극으로 흐른다고 이야기하는 것이다.

전자의 이동

−

+

전류의 이동

통행료를 받는 저항

아, 그래서 헷갈리는 거구나. 박사님, 저도 궁금한 게 있어요. 우리 집에는 220볼트, 110볼트 둘 다 쓰는데 뭐가 다른 거예요? 220볼트가 더 강한 전기인가요?

● 220볼트
콘센트 플러그

● 110볼트
콘센트 플러그

아니다. 발전소에서 보내 주는 전기의 양 (전력량)은 차이가 없단다.

전력량은 단위 시간(1초) 동안에 전압과 전류를 곱한 것과 같다. 때문에 전력량이 같다면 높은 전압을 걸어 주었을 때 상대적으로 전류는 작게 공급된다.

$$\text{전력량} = \text{전압} \times \text{전류} \times \text{시간(초)}$$
$$\quad\; W \qquad\;\; V \qquad\;\; A \qquad\quad T$$

220V × 3A × 1초 = 660W   110V × 6A × 1초 = 660W

전류가 작으면 전기의 힘도 약해지는 것 아닌가요?

전기의 힘은 전력량을 말한다. 따라서 두 경우 전력량은 차이가 없다.

220V × 3A

110V × 6A

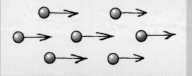

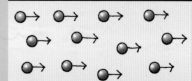

전압이 높아 전자가 빠르게 흐르지만 한꺼번에 많은 전자가 흐르지는 않는다.

전압이 낮아 전자가 느리게 흐르지만 대신 한꺼번에 많은 전자가 흐른다.

전력량이 같다면 무엇 때문에 110볼트, 220볼트로 구분하는 거죠?

그건 전선의 '저항'으로 인해 손실되는 에너지를 줄이기 위해서야.

저항?

꼼지, 너 호스로 물 뿌려 본 적 있지?

네.

구멍이 넓은 호스와 구멍이 좁은 호스 중 어느 것에 물이 더 잘 흐르니?

그야 당연히 구멍이 큰 호스지요.

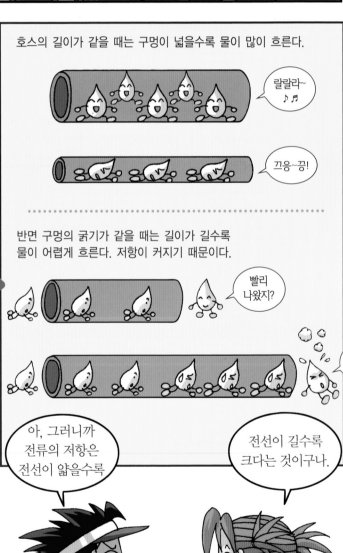

호스의 길이가 같을 때는 구멍이 넓을수록 물이 많이 흐른다.

랄랄라~ ♪♬

끄응~끙!

반면 구멍의 굵기가 같을 때는 길이가 길수록 물이 어렵게 흐른다. 저항이 커지기 때문이다.

빨리 나왔지?

아, 그러니까 전류의 저항은 전선이 얇을수록

전선이 길수록 크다는 것이구나.

또한 저항이 클수록 전기 에너지는 열에너지로 바뀌게 된단다.

전선

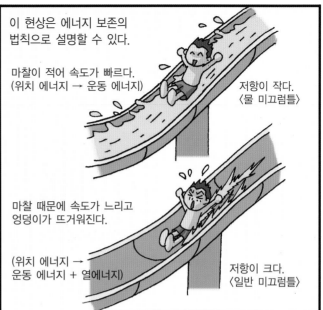

이 현상은 에너지 보존의 법칙으로 설명할 수 있다.

마찰이 적어 속도가 빠르다.
(위치 에너지 → 운동 에너지)

저항이 작다.
〈물 미끄럼틀〉

마찰 때문에 속도가 느리고 엉덩이가 뜨거워진다.

(위치 에너지 → 운동 에너지 + 열에너지)

저항이 크다.
〈일반 미끄럼틀〉

전기 에너지가 열에너지로 바뀌는 예

다리미는 전기 에너지를 의도적으로 열에너지로 바꾸어 사용하는 것이다.

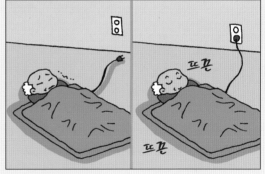

전기 장판에 들어 있는 열선에 전기가 흐르면 열이 발생하여 따뜻한 잠자리가 된다.

휴대폰 통화를 오래하면 휴대폰이 뜨거워진다.

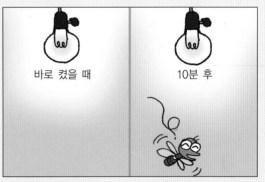

바로 켰을 때

10분 후

백열등을 오래 켜 놓으면 주위가 따뜻해진다.

한마디로 저항은 통행료를 받는 문지기라 할 수 있겠네요. 쓱쓱 못 지나가게 하니까.

저항

그럼 전선도 호스처럼 넓은 것을 쓰면 되잖아요.

그러면 전선의 무게가 무거워져서 송전탑을 더욱 크고 튼튼하게 만들어야 한단다.

히야, 지금도 저렇게 큰데…

송전탑을 새로 만드는 게 더 손해겠다. 아, 그래서 전압을 높인 거군요!

같은 전력량을 보낼 때, 전압을 높게 하면 상대적으로 전류는 작아지기 때문에 열로 인한 에너지 손실도 줄어든다.

전력량이 일정할 때 전압이 커질수록 전류는 작아진다.

전압

전류

살 좀 빼!

우리 나라에서는 왜 220볼트를 쓸까요?

불과 20~30년 전만 해도 우리 나라는 110볼트를 사용했습니다. 가정에서 필요로 하는 소비 전력이 작았기 때문입니다. 그런데 지금은 가정마다 냉장고, 세탁기, 에어컨 등을 사용하고 있어 소비 전력이 커졌습니다. 따라서 전력도 커져야 했지요. 그래서 전류를 세게 보내 전력을 크게 하려 했는데, 전선의 저항으로 인해 에너지 손실이 많이 생겼습니다.

그래서 기존의 110볼트를 사용하던 전선을 바꾸지 않고도 소비 전력을 크게 한 방법이 전압을 220볼트로 높인 것입니다.

● 전력 사용이 많은 가전 제품들

에어컨   세탁기

그런데 선진국일수록 낮은 전압을 사용한다는 사실을 아니?

네? 낮은 전압을 사용하면 에너지 손실이 크다면서요.

안+전

그것은 '안전' 때문이란다.

전압이 높을수록 감전 사고의 위험이 커진다.

깜짝

110V

크아악~

220V

파지직

110V에 감전되면 온몸이 찌릿한 정도에서 그치지만

220V에 감전되면 기절하거나 사망할 수도 있다.

그래서 에너지 생산 능력이 뛰어난 선진국은 에너지 손실을 감수하면서 안전한 전압을 택하는 거란다.

반면 전기가 부족한 나라일수록 높은 전압을 사용하는 것이란다.

정말 전기를 아껴 써야겠다.

그러게.

5. 2차 감압
아파트, 건물 등에서는 자체
변전실에서 110V, 220V으로
변환하며, 주상 변압기 등에서
변환하기도 한다.

6. 가정
각 가정의 110V, 220V의
콘센트에 플러그를 꽂으면
전기가 들어온다.

변전소
(1차 감압)

주상 변압기
(2차 감압)

꼼지네
집

정전기 유도

꼼지야, 박사님이 감전 되면 어쩌지? 무서워.

꺄악!

갑자기 따끔했어.

뭐, 뭐지?

작은 번개가 쳤구나! 정전기가 일어났나? 하하!

정전기도 전기인가요?

당연하지! 정전기도 전자의 움직임으로 인해 생기는 거니까.

사람의 옷 속의 자유 전자들이 마찰에 의해 떨어져 나와 있다가

자유 전자

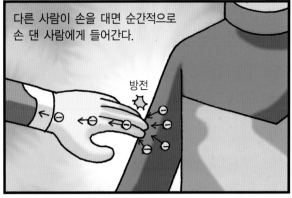

다른 사람이 손을 대면 순간적으로 손 댄 사람에게 들어간다.

방전

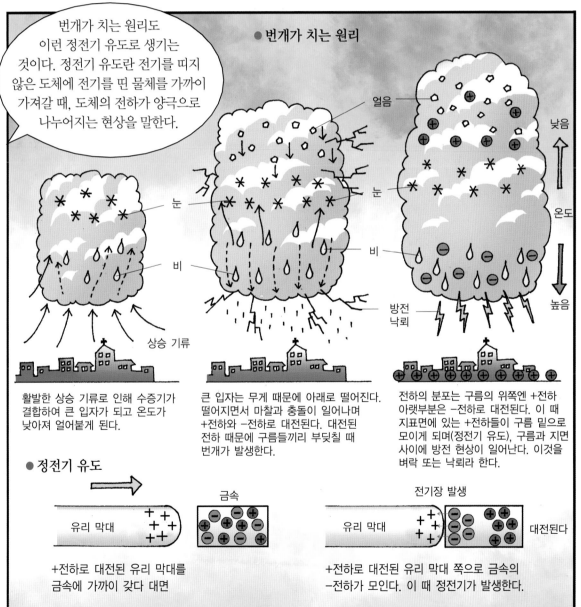

번개가 치는 원리도 이런 정전기 유도로 생기는 것이다. 정전기 유도란 전기를 띠지 않은 도체에 전기를 띤 물체를 가까이 가져갈 때, 도체의 전하가 양극으로 나누어지는 현상을 말한다.

● 번개가 치는 원리

얼음

눈

비

낮음

온도

높음

눈

비

방전 낙뢰

상승 기류

활발한 상승 기류로 인해 수증기가 결합하여 큰 입자가 되고 온도가 낮아져 얼어붙게 된다.

큰 입자는 무게 때문에 아래로 떨어진다. 떨어지면서 마찰과 충돌이 일어나며 ＋전하와 －전하로 대전된다. 대전된 전하 때문에 구름들끼리 부딪칠 때 번개가 발생한다.

전하의 분포는 구름의 위쪽엔 ＋전하 아랫부분은 －전하로 대전된다. 이 때 지표면에 있는 ＋전하들이 구름 밑으로 모이게 되며(정전기 유도), 구름과 지면 사이에 방전 현상이 일어난다. 이것을 벼락 또는 낙뢰라 한다.

● 정전기 유도

유리 막대

금속

＋전하로 대전된 유리 막대를 금속에 가까이 갖다 대면

전기장 발생

유리 막대

대전된다

＋전하로 대전된 유리 막대 쪽으로 금속의 －전하가 모인다. 이 때 정전기가 발생한다.

＊대전: 전기적으로 중성인 물체가 어떤 원인에 의해 ＋전하나 －전하 양이 많아지면, 많은 쪽의 전기적 성질을 띠는 것

정전기는 말 그대로 정지해 있는 전기를 말한다.

전자

하지만 외부의 접촉이 있으면 순식간에 움직인다.

쉬이익

어떤 요인으로 인해 물체가 전하를 띠게 되는 것을 '대전되었다'고 한다.

즉 명주 헝겊에 유리 막대를 문지르면 유리 막대에 있는 전자가 헝겊으로 이동한다.

전자

유리 막대

명주 헝겊

+전하로 대전된다.

유리 막대

명주 헝겊

─전하로 대전된다.

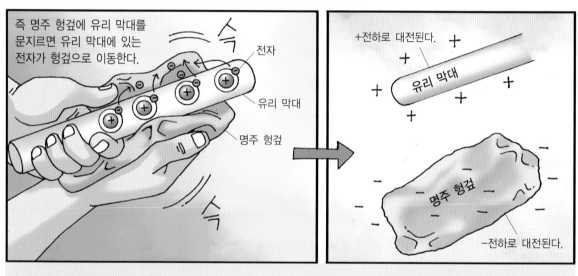

각 물질의 대전 정도: 어떤 물질이 +전하로 대전될지 ─전하로 대전될지는 그 물질이 얼마나 전자를 잃기 쉬운지에 달려 있다.

(+) 털가죽	유리	명주	솜	고무	셀룰로이드	에보나이트 (─)

전자를 잃기 쉽다. ◄────── ──────► 전자를 얻기 쉽다.

+전하로 대전된 종이에 ─전하로 대전된 토너(잉크)를 정전기 유도로 묻힌다.

페인트를 분사하는 노즐에 +전하를 걸어 주어서 페인트가 +전하로 대전되어 차체에 잘 달라붙게 한다.

도체, 부도체, 반도체

박사님! 무사하셔서 정말 다행이에요.

하하.

안전 수칙만 지킨다면 전기는 그렇게 무서운 것이 아니란다.

절연 장갑과 안전모 등의 안전 장비를 잘 챙기고 전기에 대한 지식이 있으면 전기는 안전한 거야.

절연 장갑은 전기가 통하지 않는 '부도체' 이다.

부도체?

반면 전기가 통하는 물체는 '도체' 라고 하지.

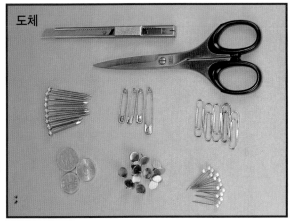

도체

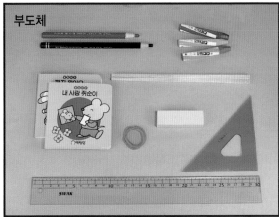

부도체

도체에서는 자유 전자가 원자핵에 구속받지 않고 자유롭게 다니고 있어 전기장을 걸어 주면 전기가 통한다.

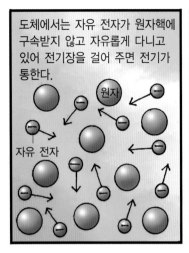

원자

자유 전자

부도체는 원자핵과 전자의 결합이 강해, 전자가 원자핵으로부터 벗어나지 못한다. 이 때문에 전류가 흐르기 힘들다.

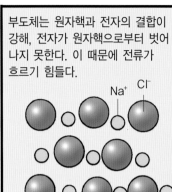

Na⁺   Cl⁻

그럼 '반도체' 라는 건 뭐예요? 컴퓨터 부품은 거의 반도체라는데….

반도체는 상황에 따라 전기를 흐르게도 하고 흐르지 않게도 할 수 있는 물질이란다.

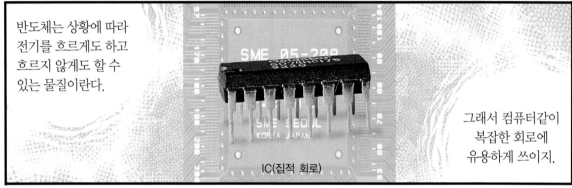

IC(집적 회로)

그래서 컴퓨터같이 복잡한 회로에 유용하게 쓰이지.

컴퓨터 본체 내부

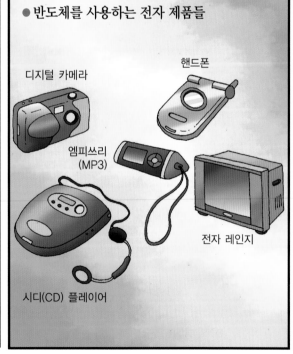

● 반도체를 사용하는 전자 제품들

디지털 카메라

핸드폰

엠피쓰리 (MP3)

시디(CD) 플레이어

전자 레인지

이해가 되느냐? 자, 충전이 끝났으니 이제 슬슬 움직여 볼까!

그게 충전지 인가요? 생각 보다 작네.

하하! 특수 기술로 만든 충전지니까.

충전지의 원리도 알려 주세요.

충전지(축전지)의 원리와 구조

화학 에너지를 전기 에너지로 변화시키는 것을 '방전', 다른 전원으로부터 전기 에너지를 공급하여 화학 에너지로 변화시켜 축적하는 것을 '충전'이라 합니다. 이와 같이 충전과 방전이 반복되는 전지를 축전지 또는 2차 전지라고 합니다.

축전지 중에서 가장 많이 쓰이는 것은 자동차에 주로 사용하는 납축전지입니다. 납축전지는 +극의 과산화납을, −극의 금속 납을 전해액인 황산에 넣은 것입니다. 여기에 회로를 연결하면 +극의 과산화납과 −극의 금속 납이 모두 황산납으로 바뀌는 산화−환원 반응이 일어나면서 전류가 발생합니다.

반면 자동차가 달릴 때는 엔진이 발전기를 돌려 생긴 전류를 축전지에 보내 위와 반대의 산화−환원 반응이 일어나, 황산납을 원래의 과산화납과 금속 납으로 바꾸어 놓습니다. 이처럼 축전지는 방전 과정의 반대 과정을 거쳐서 재충전됩니다.

참고로 축전지의 구조를 보면 극판 면적을 증가하기 위하여 많은 +극과 −극의 극판이 병렬로 연결되어 있고, 각 극판 사이에는 부도체인 격리판이 들어 있습니다.

축전지

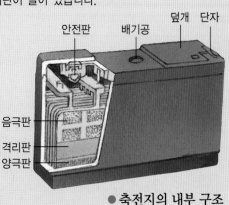

● 축전지의 내부 구조

직렬 연결과 병렬 연결

애들아, 숨도 돌릴 겸 잠시 쉬었다 가자.

와, 집이다!

자, 어서 들어가자!

안이 좀 어둡네….

앗! 이게 뭐야. 안은 완전 폐허잖아.

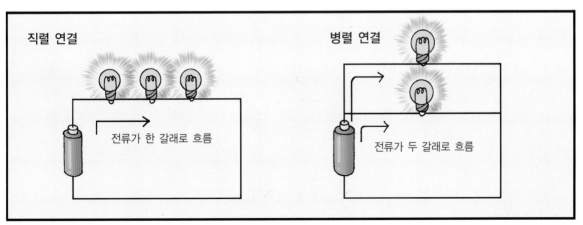

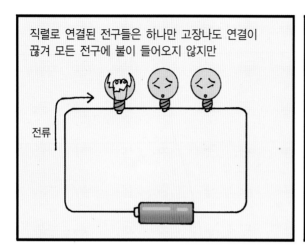

직렬로 연결된 전구들은 하나만 고장나도 연결이 끊겨 모든 전구에 불이 들어오지 않지만

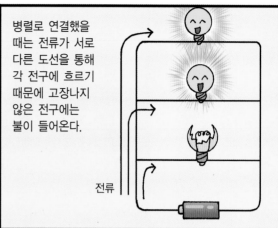

병렬로 연결했을 때는 전류가 서로 다른 도선을 통해 각 전구에 흐르기 때문에 고장나지 않은 전구에는 불이 들어온다.

한 가지 질문! 꼬마 전구를 직렬 또는 병렬 연결했을 때, 어느 쪽 전구가 더 밝을까?

전류를 나누어서 쓰니까 병렬 쪽이 더 어둡지 않을까요?

같은 수의 꼬마 전구를 직렬 또는 병렬 연결했을 때 어느 쪽이 더 밝을까요?

전구는 전구 안의 필라멘트가 전기를 못 흐르게 방해해 그 저항으로 인해 열이 발생하며 빛이 나는 것입니다. 따라서 직렬 연결은 저항이 계속 늘어나는 거라 전류가 잘 흐르지 못해 꼬마 전구의 불이 어둡고, 병렬 연결은 전류가 흐르는 길이 몇 개로 갈라져 저항이 적어 많은 전류가 흐르게 되어 더 밝게 되는 것입니다.

전구의 직렬 연결
(빛이 어둡다)

전구의 병렬 연결
(빛이 밝다)

그럼 병렬 연결이 훨씬 좋은 거네요? 고장도 잘 안 나고 더 밝고!

대신 에너지가 많이 소모되기 때문에 전지의 수명이 빨리 줄어든단다.

이런!

그럼 건전지를 직렬 연결 또는 병렬 연결 하면 어떻게 될까?

건전지를 직렬 연결하면 더 높은 곳으로 물을 끌어올리는 것과 같은 이치이다.

빛이 밝다.

건전지의 수명이 짧다.

펌프(건전지)

펌프(건전지)

물레방아가
빨리 돈다.

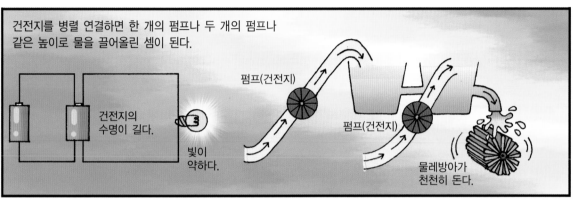

건전지를 병렬 연결하면 한 개의 펌프나 두 개의 펌프나
같은 높이로 물을 끌어올린 셈이 된다.

건전지의
수명이 길다.

빛이
약하다.

펌프(건전지)

펌프(건전지)

물레방아가
천천히 돈다.

이처럼 전원을 병렬 연결하면
은은한 빛이 나와, 레스토랑 같은
곳에서 분위기를 연출하려고
많이 이용한다.

그래도 나는 밝은 게 좋으니까
건전지는 직렬로, 전구는
병렬로 연결할 거야.

에너지
소모가 많은 건
생각 않는군!

전자기장

궁금한 게 또 있어요.
도대체 전기가 뭐길래
밥도 짓고 전철도 움직
일 수 있는 거죠?

전기는 다른 에너지와
마찬가지로 여러 가지
에너지로 전환이 가능하단다.
열에너지, 화학 에너지, 자기
에너지 등으로 전환되어
밥도 짓고, 텔레비전도
보고 그러는 거란다.

자기 ← 전기 → 열
화학

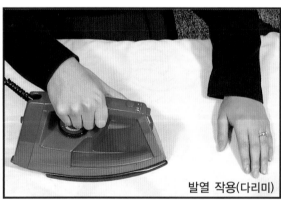

발열 작용(다리미)

자기 작용(자기 부상 열차)

화학 작용(도금)

또한 전기는 사용 후에 찌꺼기가
남지 않아서 환경을 위해서도 적극
권장되는 훌륭한 에너지란다.

자기라면 자석을 이야기하는 것 아닌가? 그런데 왜 전기랑 같이 이야기해요?

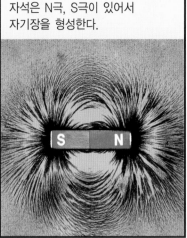

자석은 N극, S극이 있어서 자기장을 형성한다.

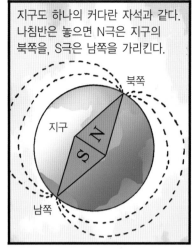

지구도 하나의 커다란 자석과 같다. 나침반은 놓으면 N극은 지구의 북쪽을, S극은 남쪽을 가리킨다.

북쪽

지구

S N

남쪽

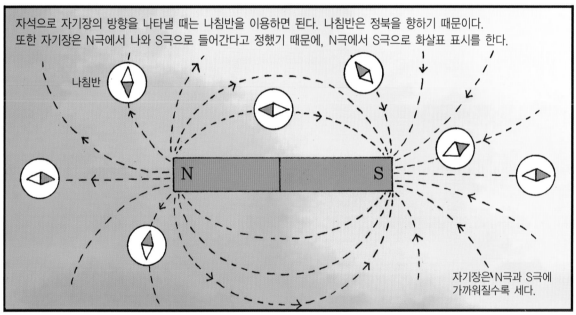

자석으로 자기장의 방향을 나타낼 때는 나침반을 이용하면 된다. 나침반은 정북을 향하기 때문이다. 또한 자기장은 N극에서 나와 S극으로 들어간다고 정했기 때문에, N극에서 S극으로 화살표 표시를 한다.

나침반

N   S

자기장은 N극과 S극에 가까워질수록 세다.

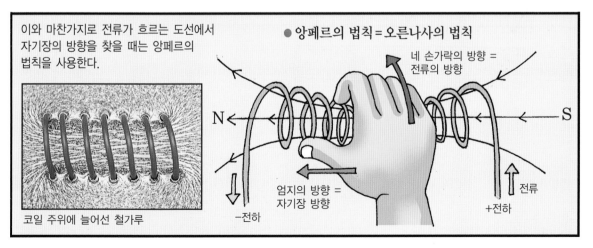

이와 마찬가지로 전류가 흐르는 도선에서 자기장의 방향을 찾을 때는 앙페르의 법칙을 사용한다.

● 앙페르의 법칙 = 오른나사의 법칙

네 손가락의 방향 = 전류의 방향

N   S

엄지의 방향 = 자기장 방향

−전하

+전하

전류

코일 주위에 늘어선 철가루

* 전자기장: 전류나 자석이 움직이고 있을 경우, 그 주위에 전기력과 자기력이 함께 작용하여 동시에 존재하는 것
* 자기장: 자석이나 전류끼리 서로 당기거나 밀어내는 힘인 자기력이 미치는 공간

이처럼 전기가 있는 곳에는 자기도 함께 있단다! 그래서 같이 이야기하는 거야.

전기와 자기를 이용해 만든 것이 전동기란다. 이런 장난감 자동차도 전동기로 움직이는 거야.

전동기의 원리

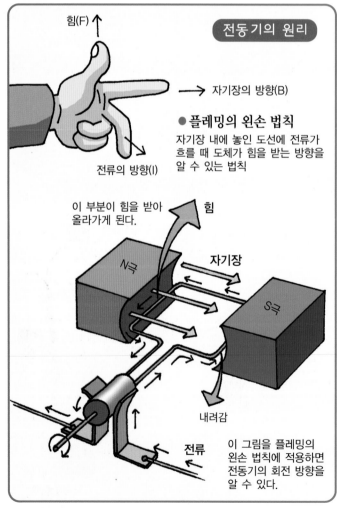

힘(F)

자기장의 방향(B)

전류의 방향(I)

● 플레밍의 왼손 법칙
자기장 내에 놓인 도선에 전류가 흐를 때 도체가 힘을 받는 방향을 알 수 있는 법칙

이 부분이 힘을 받아 올라가게 된다.

힘

N극

자기장

S극

내려감

전류

이 그림을 플레밍의 왼손 법칙에 적용하면 전동기의 회전 방향을 알 수 있다.

전기와 자기의 힘은 정말 신비해요. 보이지 않는 힘이 큰 에너지를 만들어 내다니.

엄지야, 나에게도 힘이 느껴지지 않니?

공부 좀 했나 보네. 자만심이 가득한 걸 보니…. 쯧쯧.

부족한 전기

근데 박사님, 생각보다 전기는 쉽게 만들 수 있는 것 같은데 왜 전기를 아껴 쓰라고 하는 거예요?

배웠다시피 전기를 만들려면 터빈을 돌려야 하고 터빈을 돌리기 위해선 많은 연료와 설비가 필요하기 때문이야.

하지만 태양열, 수력, 풍력 발전소 등은 연료가 필요하지 않잖아요. 자연의 힘을 이용하니까….

자연의 힘으로 전기를 일으키는 것은 한계가 있다. 자연은 항상 일정하지 않기 때문에 지속적인 생산을 할 수가 없다.

바람이 안 부니 할 일이 없네.

먹구름

풍력 발전

태양열 발전

구름이 가리니 빛을 모을 수가 없잖아.

수력 발전

어? 물이 점점 줄어드네. 마르면 큰일인데….

그리고 그렇게 얻는 전기는 우리가 쓰기에 턱없이 부족하단다.

우리가 그렇게 전기를 많이 쓰는 줄 몰랐어요.

전기는 우리가 평소 쓰는 양을 기준으로 공급해 준다. 그런데 갑자기 많은 전기를 소모하게 되면 대규모 정전 사태가 발생 하기도 해.

미국 뉴욕 시의 야경

이 도시는 잠시의 정전 사태로 10억 5천만 달러의 경제적 손실이 생겼다고 한다.

잠시 전기가 안 들어왔을 뿐인데 그렇게 엄청난 손실이 생겨요?

전기가 우리 생활에 미치는 영향에 대해 생각해 보렴. 지금 당장 우리에게 1분이라도 전기가 없다면?

● 정전시 피해

냉장고 안의 식품들이 상하게 된다.

통신이 마비된다.

전철의 운행이 중단된다.

으, 전기 없는 세상은 상상하기도 싫어!

컴퓨터 작업을 할 수 없다.

으악! 밤새도 못할 판인데….

엘리베이터가 멈춘다.

파동과 빛

파동이란?

앗! 녀석들이 이 곳으로 오고 있다!

어서 서두르자!

어? 아무도 없는데….

무슨 소리가 났나요?

소리는 안 났지만 이 지진계에 땅이 흔들리는 게 잡히거든.

땅이 흔들린다고요?
전 잘 모르겠는데요.

자, 어서
로봇에 올라타라!

와, 처음 봤을
때의 로봇이다.

그나저나 녀석들이
어떻게 여기까지
쫓아왔을까?

쿠웅

쿠웅

박사님!
저기를 보세요!

켈켈~

방향을
바꿔야겠다!

앗! 여기도….

분명 누군가 우리를 관찰하면서 통신으로 정보를 주는 게 분명해…!

좋아, 그렇다면!

네! 짱 박사가 동쪽으로 이동중입니다.

큭큭, 짱 박사! 절대로 도망갈 수 없을걸?

30미터 이동 중.

엇? 짱 박사가 갑자기 이상한 행동을 시작합니다.

지직

지지직

뭐… 뭐야? 안 들린다, 오버!

관측병! 어떻게 된 거야?

지직~ 짱…박… 지직 지직~

지지직

지직

뭐 하시는 거예요?

강력한 전파를 쏴서 녀석들의 통신을 방해하는 거란다.

이제 우리를 못 따라올 거다.

쿵
쿵

와! 정말 아무도 없네요. 어떻게 통신을 눈치채신 거죠?

소리, 빛, 진동, 전파 등은 모두 파동의 형태로 전달되지. 아까 땅의 흔들림을 느낄 수 있었던 것도 그 때문이야.

호수에 돌멩이를 던지면 파동이 생기면서 상당히 먼 곳까지 퍼져 나가지?

풍당

너희 실 전화기 놀이를 해 본 적 있니? 그건 소리(음파)가 실을 타고 움직이기 때문이야. 이처럼 파동은 한 곳에서 생긴 떨림이 주위로 전해지는 현상을 말한단다.

엄지는 공주병!

파동의 형태

지진도 땅 속 깊은 곳에서 시작된 지진파가 지표까지 전달되기 때문에 예측할 수 있는 것이다.

진원(지진이 시작된 곳)

지진의 진동은 진원에서 사방으로 퍼진다. 퍼지는 데는 시간이 걸린다.

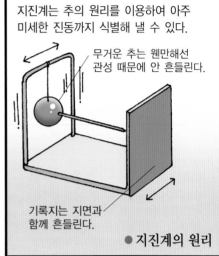

지진계는 추의 원리를 이용하여 아주 미세한 진동까지 식별해 낼 수 있다.

무거운 추는 웬만해선 관성 때문에 안 흔들린다.

기록지는 지면과 함께 흔들린다.

● 지진계의 원리

그럼 파동은 이런 형태인가요?

흐물

호호호.

하하.

파동은 매질의 진동 방향에 따라 횡파와 종파, 두 가지로 나눈다.

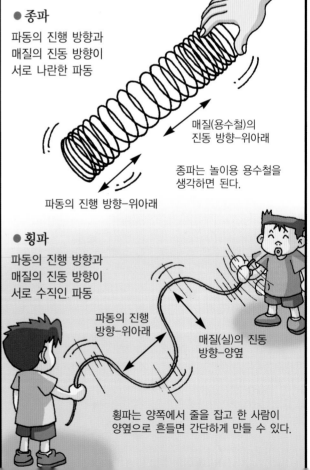

● 종파

파동의 진행 방향과 매질의 진동 방향이 서로 나란한 파동

매질(용수철)의 진동 방향-위아래

종파는 놀이용 용수철을 생각하면 된다.

파동의 진행 방향-위아래

● 횡파

파동의 진행 방향과 매질의 진동 방향이 서로 수직인 파동

파동의 진행 방향-위아래

매질(실)의 진동 방향-양옆

횡파는 양쪽에서 줄을 잡고 한 사람이 양옆으로 흔들면 간단하게 만들 수 있다.

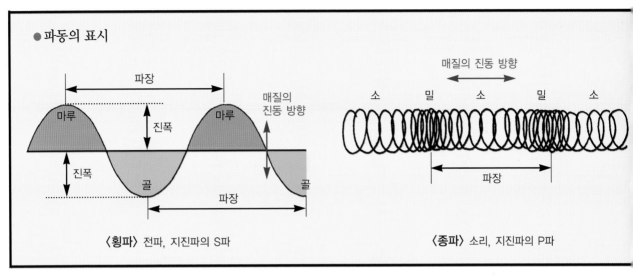

● 파동의 표시

파장 / 마루 / 진폭 / 진폭 / 골 / 골 / 파장 / 매질의 진동 방향

〈횡파〉 전파, 지진파의 S파

매질의 진동 방향 / 소 / 밀 / 소 / 밀 / 소 / 파장

〈종파〉 소리, 지진파의 P파

127

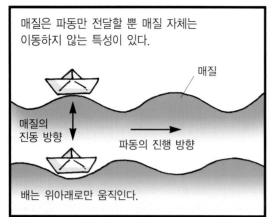

매질은 파동만 전달할 뿐 매질 자체는 이동하지 않는 특성이 있다.

매질

매질의 진동 방향

파동의 진행 방향

배는 위아래로만 움직인다.

사람이 끈으로 파동을 만들 때 제자리에 서서 만들 수 있는 것도 그 원리이다.

매질

그럼 소리의 매질은 뭔가요?

공기란다.

소리는 공기를 진동시키며 이동하고 장애물을 만나면 반사되기도 한다. 그 예가 메아리이며, 이것을 '공명'이라고 한다.

또 소리의 반사를 잘 이용하면 여러 곳에서 울리는 웅장한 소리도 만들어 낼 수 있다.

목욕탕 안에서의 공명 현상

스피커도 공명의 원리를 이용한 것이다.

근데 아까 박사님이 쏘신 전파는 멀리 가는데 왜 소리는 먼 곳까지 들리지 않나요?

하하, 말 나온 김에 전파에 대해서 알아볼까? 전파는 전자기파의 일종으로 전파가 멀리까지 퍼지는 이유는 전파의 특성과 지구 전리층의 영향 때문이란다.

매질을 필요로 하는 소리는 공기가 없는 우주(진공 상태)에서는 전달이 안 되지만

뭐라고 하는 거야!

전파는 매질 없이 스스로 진동하기 때문에 우주에서도 잘 전달된다. 그만큼 멀리까지 갈 수 있다.

밥 먹으러 가자고.

하지만 지구가 둥근 반면 전파는 직진하기 때문에 한없이 전달되는 건 사실상 불가능하다.

전파

지구

그러나 지구 상층에는 '전리층' 이 있다. 전리층은 전하를 띤 입자들이 특수한 환경 요인으로 인해 모여 있게 된 층이다. 이 전리층이 전파를 반사시켜서 좀더 먼 곳까지 전파를 전달할 수 있게 하는 것이다.

전리층

반사

* 전자기파: X선, 자외선, 적외선, 가시광선, 전파 등을 통틀어 일컬음

전자기파는 1871년 맥스웰이 지구의 자기장을 토대로 처음 예언했다.

맥스웰
(1831~1879년)

어떤 곳에서 일어난 전기장의 변화는 자기장을 유도하고 자기장은 전기장을 유도해 계속된 상호 작용에 의해 파동이 발생한다.

그 후 1888년에 헤르츠가 전자기파의 존재를 확인했다.

실험을 통해 전자기파의 존재를 확인했죠.

헤르츠
(1857~1894년)

전자기파 중에서 실제적으로 많이 이용하는 것은 전파인데, 전파를 사용할 수 있게 된 건 마르코니 덕분이다.

안녕! 여러분!

마르코니
(1874~1937년)

마르코니는 전파를 이용하여 무선 통신을 발명하였다. 무선 통신이 유명해진 일화가 있다.
어떤 사람이 자신의 배에 흉악범이 탄 사실을 육지에서 4천 킬로미터나 떨어진 바다에서 무선 통신을 통해 알린 것이다. 그 사실을 연락받은 경찰들은 배가 육지에 도착했을 때 범인을 쉽게 잡을 수 있었다고 한다. 이렇게 하여 무선 통신의 위력을 많은 사람이 알게 된 것이다.

전파

하지만 현대에는 인공 위성으로 손쉽게 정보를 전달하고 있다.

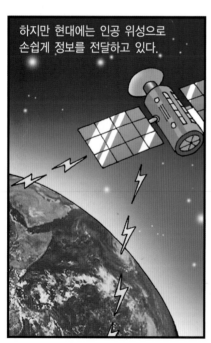

그런데 박사님은 그렇게 강한 전파를 어떻게 방해하셨나요?

하하! 예를 들어 설명해 주지. 사람이 많은 곳에서는 가까이 있어도 상대의 소리가 잘 들리지 않지만 인적이 드문 곳에서는 멀리서도 소리가 잘 들리는 거와 같은 이치야.

엄지야!

웅성 웅성

마찬가지로 보다 강한 전파를 쏘면 기존 전파가 방해를 받게 되는 것이란다.

위이잉

아하, 그러니까 텔레비전 볼 때 엄마가 드라이어를 쓰면 화면이 지직거리는 것도 같은 원리겠네요.

지지직

이런 전파 방해는 전쟁중에도 사용된다. 실제로 걸프전 때 미군은 이라크군이 서로 교신하지 못하게 전파 교란 작전을 펼치기도 하였다.

본부 나와라, 오버!

쾅 콰 앙

또한 자연적으로 통신이 두절되는 현상이 일어나기도 하는데 이것을 '델린저 현상' 이라고 한다.

팟

델린저 현상은 태양의 표면에서 폭발이 일어나면서 생기는 자기 폭풍이 지구까지 도달하여 일시적으로 통신을 마비시키는 것이다. 그 강도는 미약하지만 조금만 세져도 인류는 큰 비극을 맞이할 수도 있다.

태양

전리층
F2 300km
F1 200km
E 100km
D 80km

X선
자기 폭풍

자외선

팟

지구

이상 전기를 일으켜 전리층을 이용하는 단파 통신을 두절시킨다.

131

세상에서 가장 빠른 것

와, 다시 날 수 있다니 박사님의 발명품 정말 최고네요!

슈우우웅

게다가 훨씬 더 빨라진 것 같아요. 아마 이것보다 빠른 건 없겠죠?

인간이 타고 다니는 기계 중에서는 가장 빠를 수도 있겠지.

그럼 세상에서 가장 빠른 건 뭐예요?

총알 아닐까? 영화에서 보면 '탕!' 소리와 함께 '윽!' 하잖아.

탕

아냐, 소리일 거야. 먼 곳에 있는 사람을 불러도 바로 대답하잖아.

왜?

야!

총알은 작기 때문에 빨라 보이는 것뿐이란다. 제트기도 그 정도 속도는 낼 수 있어. 또한 소리는 100미터만 떨어져 있어도 뒤늦게 들리잖니.

초음속 여객기 콩코드(초속 400m되는 총알 속도보다 빠르다.)

천둥 번개가 칠 때를 생각해 보렴. 번개가 먼저 '번쩍' 한 후에 '우르릉, 쾅' 소리는 나중에 들리지?

아, 맞다! 천둥 번개 칠 때는 대부분 번개가 먼저 친 후에 천둥 소리는 나중에 났어요!

맞아!

쩍

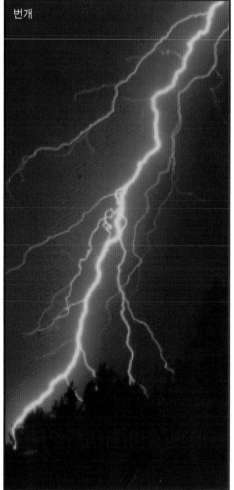

번개

그렇다면 세상에서 가장 빠른 것은?

빛!

Light!

그래, 빛의 속도가 가장 빠르단다. 그리고 빛의 속도를 '절대 속도'라고 해.

절대 속도?

속도는 절대 속도와 상대 속도로 구분한다.

쉬 이익

시속 150km

와, 빠르다!

절대 속도
관찰자가 정지한 상태에서 관측한 속도

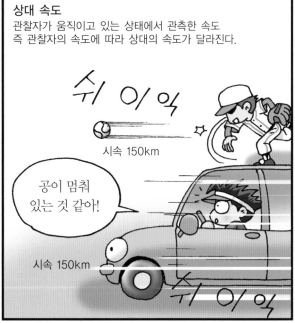

상대 속도
관찰자가 움직이고 있는 상태에서 관측한 속도
즉 관찰자의 속도에 따라 상대의 속도가 달라진다.

쉬 이익

시속 150km

공이 멈춰 있는 것 같아!

시속 150km

쉬 이익

그런데 빛은 우리가 멈춰 있든 움직이고 있든 간에 언제나 같은 속도를 나타내므로 절대 속도라 하는 거란다.

빛의 속도

그런데 빛의 속도를 알 수 있나요? 빛이 그렇게 빠르다면 속도를 잴 수 없는 것 아닌가요?

잴 수 있어. 하지만 너희한텐 너무 어려우니 생략하마. 너희 '광년' 이란 말은 들어 본 적 있느냐?

네. '몇십 광년, 몇억 광년 떨어져 있다' 는 글을 과학책 에서 본 것 같아요.

빛 광   해 년

光 年

오호, 그래! 광년에서 '광' 은 빛을 뜻한단다. 따라서 1광년은 빛이 1년 동안 간 거리를 뜻하는 거야.

빛이 1년 동안 가야 한다고요? 애개개, 그럼 빛도 생각보다 느리네요, 뭐.

하하, 빛이 느린 게 아니라 우주가 그만큼 끝없이 넓다는 얘기야.

빛은 1초에 지구를 일곱 바퀴 반이나 돈다.

빛의 속도 = 약 초속 30만km

헉! 1초에 지구를 일곱 바퀴 반이나 돈다고? 그럼 몇억 광년이라 하면? 아, 도대체 우주는 얼마나 넓은 거야?

우리가 밤하늘에서 보는 별들이 실제로 존재하지 않을 수도 있다는 걸 아니?

네? 그건 또 무슨 뚱딴지 같은 말씀이세요?

결국 10광년 떨어진 곳에 있는 별이 폭발하면 지구에서는 10년 후에나 폭발한 별을 볼 수 있다.

별은 폭발했지만 지구에서는 폭발하기 이전의 모습을 보고 있다.

지구

아, 우주는 정말 신비해!

마지막 빛

지구

10년 후에 이미 사라진 별의 폭발 모습을 보는 것이다.

별빛은 몇십, 몇백 년에 걸쳐 지구로 온 것이다.

별

빛

지구

빛의 산란과 흡수

와, 바다다.
♪초록빛 바닷물에
두 손을 담그면~ 🎵

슈우우우

그런데 박사님,
바다는 왜 푸른색
인가요?

바다가 푸른색
이라고 단정할 수는
없지. 저녁놀이 질
때는 붉고 밤에는
검은빛을 띠잖느냐.

생각해 보니
진짜 그렇네.

바닷물이 푸르게
보이는 이유는 햇빛
중 파장이 짧은 푸른
빛이 물에 반사되었기
때문이야.

낮의 하늘이 푸른 이유는 태양 광선 중에서 파장이 짧은 파란 계통의 빛만 대기 중에 산란되기 때문이다.

저녁에는 태양 광선이 대기 중에 비스듬히 비치면서 파장이 긴 붉은 계통의 빛이 더 많이 산란되기 때문에 붉게 나타난다.

태양 광선은 파장에 따라 구분하는데 특별히 사람의 눈으로 볼 수 있는 빛을 '가시 광선'이라 한다.

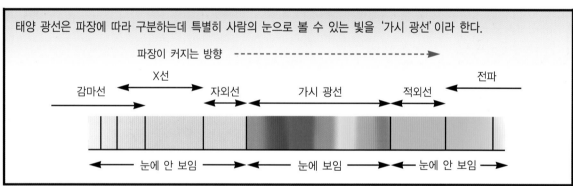

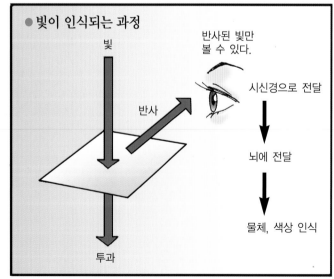

이렇게 총 천연색인 가시 광선 중에 특정한 빛만 반사되는 과정은 체로 돌을 고르는 과정과 흡사하다.

비 온 후에 무지개가 생기는 이유는 대기 중의 수증기가 빛을 난반사시키기 때문이다.

색종이나 크레파스는 자신의 색 외의 빛은 모두 흡수한다.

비누 거품에 무지개 색이 나타나는 이유는 거품 표면의 분자들이 활발히 움직이며 빛을 난반사시키기 때문이다.

빛이 흡수되고 반사되는 좋은 예는 검은색 옷과 흰색 옷을 입었을 때이다.

검은색 옷은 가시 광선의 빛을 모두 흡수해서 검게 보이는 것이다.

흰색 옷은 가시 광선의 빛을 모두 반사해서 하얗게 보이는 것이다.

그럼 앞으로 이렇게 이야기 해야겠군.

엄지는 빨간색과 노란색 빛을 반사 하는 옷을 입었구나!

* 난반사: 고르지 못한 표면에 빛이 부딪혀서 여러 방향으로 반사되는 현상

빛의 굴절

박사님, 시원한 계곡이 보이는데 저기서 놀다 가요.

끼이익

와, 시원하겠다.

졸 졸 졸

바닥이 훤히 보이는 걸 보니 얕은가 봐. 발 좀 담가 볼까? 히히.

앗, 차가워!

휘청

풍

어? 왜 이렇게 깊어?

풍덩

물 속은 눈에 보이는 것보다 훨씬 깊단다.

바지 다 젖었어.

!!

히히, 완전 숏 다리네.

?

140

물이 얕아 보이고 다리가 짧아 보이는 것은 빛의 굴절 현상 때문이란다.

● 빛의 굴절

공기와 물 같은 두 매질이 맞닿는 면에서 빛이 꺾이는 현상을 말한다.

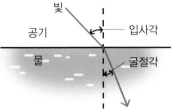

빛은 두 매질 사이에서 밀도가 큰 쪽으로 굴절한다. 즉 공기를 통과한 빛은 밀도가 큰 물을 통과하면서 방향이 꺾이게 된다. 이 때 빛이 들어오는 각을 입사각, 꺾이는 각을 굴절각이라 하는데, 입사각보다 굴절각이 작아 물체의 상이 꺾어져 보이게 된다.

● 볼록 렌즈와 오목 렌즈의 굴절 빛은 두꺼운 쪽으로 꺾인다.

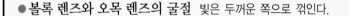

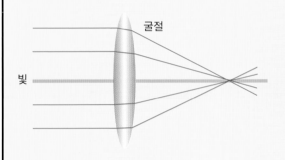

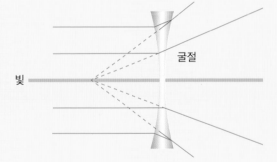

볼록 렌즈
빛을 모으는 성질이 있어, 물체가 크게 보인다.

오목 렌즈
빛을 퍼지게 하는 성질이 있어, 물체가 작게 보인다.

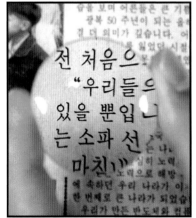

볼록 렌즈

오목 렌즈

볼록 렌즈는 빛이 가운데로 모이는 특성이 있기 때문에 종이도 태운다.

빛의 반사

아~함! 낮잠 한번 잘 잤다.

아니! 짱 박사!

이런 데서 낮잠을 잔 보람이 있군! 흐흐. 진급이 눈앞에 있다!

짱 박사, 각오하시라.

앗! 박사님이 위험해!

그물 발사!

빛

아얏! 눈부셔!

박사님! 어서 도망치세요!

찍 내 눈

으윽… 진급할 기회를 놓치다니…. 크… 원통해.

슈우우웅

오, 엄지 너 대단하다. 어떻게 한 거니?

거울을 이용했지!

빛은 직진하므로 법선(거울면과 수직)을 기준으로 입사각과 반사각은 항상 같다. 이것이 '반사의 법칙'이다.

입사

법선(0도)

반사

입사각 반사각

거울면

● 반사의 법칙

엄지가 빛의 반사를 잘 이용했구나!

빛의 반사를 이용하면 물 속이나 땅 속에서도 땅 위의 모습을 볼 수 있다. 이것이 바로 잠망경의 원리이다.

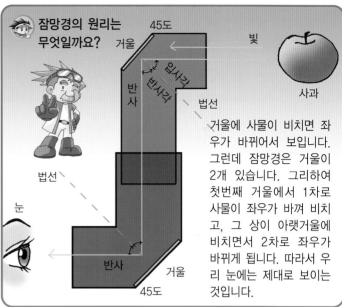

잠망경의 원리는 무엇일까요?

45도
거울
빛
사과
입사각
반사각
반사
법선
법선
눈
반사
거울
45도

거울에 사물이 비치면 좌우가 바뀌어서 보입니다. 그런데 잠망경은 거울이 2개 있습니다. 그리하여 첫번째 거울에서 1차로 사물이 좌우가 바껴 비치고, 그 상이 아랫거울에 비치면서 2차로 좌우가 바뀌게 됩니다. 따라서 우리 눈에는 제대로 보이는 것입니다.

자! 이 거울에서 봐라.

칫!

음… 언제 봐도 멋진 내 모습!

윽!

하하, 땡글 땡글한 게 너무 귀엽다.

슈욱

헉! 이번엔 길어졌어!

슈욱

하하! 이것이 빛의 반사 때문에 일어나는 빛의 마술이다.

와! 재밌어요!

거울의 반사

● 볼록 거울

반사면이 볼록해 빛을 퍼뜨려 실물보다 작은 상이 생긴다.
넓은 범위를 볼 수 있다. 도로 모퉁이의 구면경,
자동차 백 미러, 대형 마켓 감시용 거울 등에 이용한다.

숟가락 바깥 면―볼록
실물의 상은 크기만 다르게 보일 뿐 항상
상하좌우가 바뀌지 않고 똑바로 보인다.

● 오목 거울

반사면이 오목해 빛을 한 점에 모을 수 있어
실물보다 큰 상이 생긴다. 자동차 전조등의 반사경,
반사 망원경, 등대의 탐조등 등에 이용한다.

숟가락 안쪽 면―오목
숟가락을 멀리 할수록 실물의 상은
점점 작아지면서 상하좌우가 바뀌어 보인다.

● 볼록 거울의 이용

구면경

● 오목 거울의 이용

자동차 전조등의 반사경

빛의 회절과 간섭

아!
눈부셔!

꼼지야!
너 뭐 해?

태양하고
눈싸움해서
이겨 보려고!

아서라. 그러다
눈 다 버린다.

하하.

네?

전 태양을 피하지
않고 당당히 맞서고
싶단 말예요!

알았다. 그러면
이걸 쓰거라.

스윽

아, 눈도 보호하고 태양도
제대로 볼 수 있네요.

정말! 평소에는
너무 밝아서 제대로
못 봤는데….

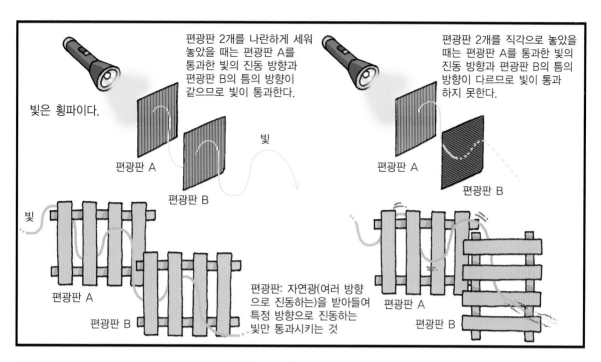

빛은 횡파이다.

편광판 2개를 나란하게 세워 놓았을 때는 편광판 A를 통과한 빛의 진동 방향과 편광판 B의 틈의 방향이 같으므로 빛이 통과한다.

편광판 2개를 직각으로 놓았을 때는 편광판 A를 통과한 빛의 진동 방향과 편광판 B의 틈의 방향이 다르므로 빛이 통과하지 못한다.

편광판 A

편광판 B

빛

편광판 A

편광판 B

빛

편광판 A

편광판 B

편광판: 자연광(여러 방향으로 진동하는)을 받아들여 특정 방향으로 진동하는 빛만 통과시키는 것

편광판 A

편광판 B

운전용 선글라스는 수직 방향의 편광판을 이용해 도로 표면에서 반사되는 수평 방향의 빛을 차단하여 눈부심을 막는 원리이다.

꼼지야! 너 계속 거기서 있어라. 네 그림자 때문에 아주 시원하다.

박사님, 그림자가 생기는 이유는 뭔가요?

크흑, 금방 써 먹네.

그림자는 빛이 직진하기 때문에 생기는 현상이다.

그림자는 광원(태양, 전등)의 방향에 따라 선명하게 새겨진다.

빛이 통과되지 못한 부분

147

그림자 인형극

빛이 직진성이 약하고 회절성이 강했다면 그림자 인형극은 없었을 것이다.

회절이요?

담 너머에 기대고 있으면 빛은 통과하지 못하지만 소리는 잘 들리지?

맞아! 방문을 잠그고 이불을 푹 뒤집어 쓰고 있어도 소리는 들리잖아.

정말!

그래. 그건 소리가 회절성이 강하기 때문이란다.

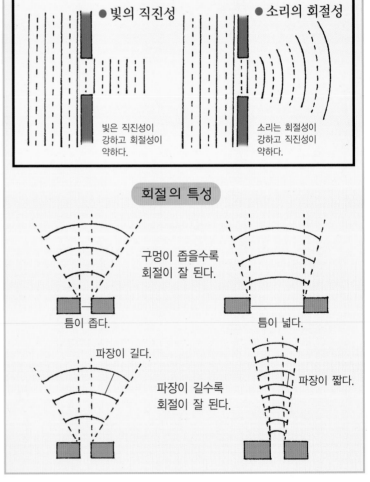

● 빛의 직진성

빛은 직진성이 강하고 회절성이 약하다.

● 소리의 회절성

소리는 회절성이 강하고 직진성이 약하다.

회절의 특성

구멍이 좁을수록 회절이 잘 된다.

틈이 좁다.

틈이 넓다.

파장이 길다.

파장이 길수록 회절이 잘 된다.

파장이 짧다.

*회절성: 파동이 진행하다가 장애물을 만나거나 틈을 지나가게 될 때 그 뒷부분까지 돌아서 진행하는 현상

만약 빛이 소리처럼 회절성이 강했다면 시원한 그늘은 없었을 것이다.

헥헥… 그늘 어디 없나?

ㅈㅉㅏㅇ~

반대로 소리에 회절성이 없다면 뒤에 앉은 사람들은 수업을 듣기 어려울 것이다.

네가 소리를 막아 잘 안 들리잖아!

어쩌구 저쩌구

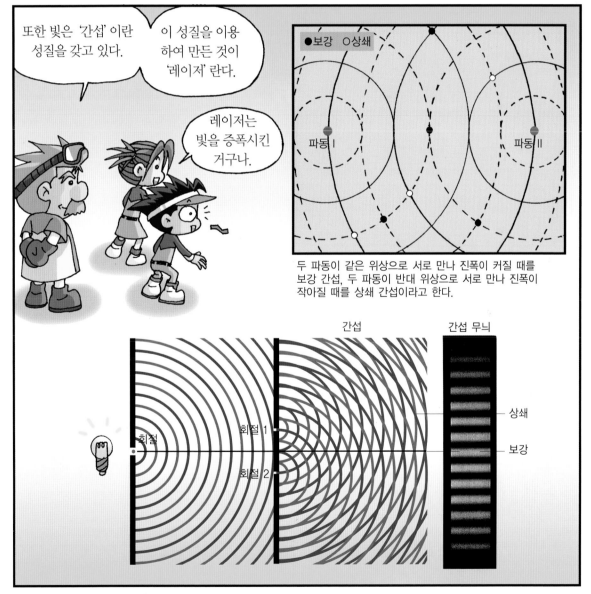

또한 빛은 '간섭' 이란 성질을 갖고 있다.

이 성질을 이용하여 만든 것이 '레이저' 란다.

레이저는 빛을 증폭시킨 거구나.

● 보강 ○ 상쇄

파동 I

파동 II

두 파동이 같은 위상으로 서로 만나 진폭이 커질 때를 보강 간섭, 두 파동이 반대 위상으로 서로 만나 진폭이 작아질 때를 상쇄 간섭이라고 한다.

간섭

간섭 무늬

회절

회절 1

회절 2

상쇄

보강

*간섭: 두 개의 파동이 만나서 보강되거나 상쇄되는 현상

수영장에서 물장구를 칠 때 물이 흔들리는 방향대로 물장구를 치면 물결이 점점 크게 흔들리지만

물이 흔들리는 반대 방향으로 물장구를 치면 오히려 잠잠해지는 것과 같은 원리이다.

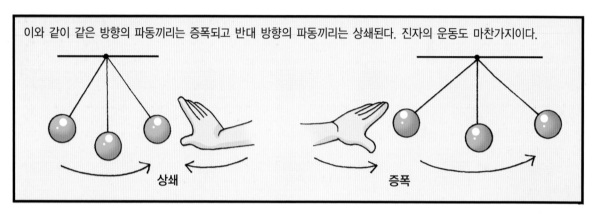

이와 같이 같은 방향의 파동끼리는 증폭되고 반대 방향의 파동끼리는 상쇄된다. 진자의 운동도 마찬가지이다.

상쇄

증폭

1831년 영국에서는 발맞추어 다리를 건너던 보병 부대에 의해 다리가 무너진 일도 있었다고 한다. 병사들이 일정한 리듬에 맞춰 걸을 때 생기는 진동과 다리의 진동수가 일치해 진동이 증폭되어 마침내 다리가 무너진 것이다.

으악!

으악!

물체마다 고유한 진동수가 있는데, 외부의 진동수와 일치하게 되면 진동이 엄청나게 증폭되는 거지.

어떠냐! 물리 현상들이 신비롭지? 물리의 세계는 알면 알수록 놀라울 거다.

네. 정말 놀라워요.

소리의 높낮이

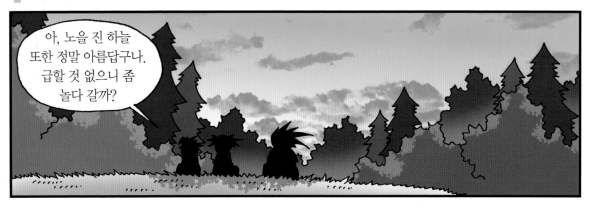

아, 노을 진 하늘 또한 정말 아름답구나. 급할 것 없으니 좀 놀다 갈까?

분위기도 좋고 하니 내 연주 한 곡 들려주마. 잘 들어 보렴.

무슨 악기로 연주를…!

하하하, 이 버들가지가 내 악기야.

똑

에이, 그게 무슨 악기예요!

삭

삭

삘 릴 리리

오호!

와! 정말 맑고 아름다운 소리네요.

브라보!

여기서 그런 소리가 나다니 정말 신기하다.

그러고 보니 큰 악기들은 낮은 음을 작은 악기들은 높은 음을 내는 거 같아요.

큰 악기일수록 낮은 소리를 내고 작은 악기일수록 높은 소리를 낸다. 그건 음파의 파장이 짧을수록 높은 소리가 나기 때문이다.

● 관악기

낮은 소리
관이 크고 긴 악기

높은 소리
관이 작고 짧은 악기

● 현악기

두꺼운 줄
느리게 진동하여 파장이 길다.

가는 줄
빠르게 진동하여 파장이 짧다.

낮은 음 ⇦ ⇨ 높은 음

리코더의 구멍을 닫을수록 낮은 소리가 나는 이유도 그 때문이다.

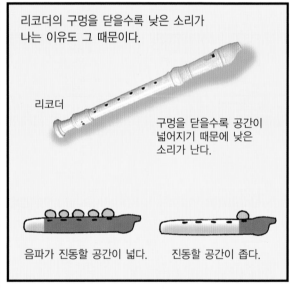

리코더

구멍을 닫을수록 공간이 넓어지기 때문에 낮은 소리가 난다.

음파가 진동할 공간이 넓다.

진동할 공간이 좁다.

목소리도 목 안의 성대가 넓어졌다 좁아졌다 하며 음의 높낮이를 조절한다.

짱 박사의 정체

정말 아름다워요.
이게 무슨 곡이에요?

내가 어릴 적에 울거나 투정부릴 때 우리 어머니가 들려주신 곡이란다.

헤헤헤, 박사님도 떼쟁이셨나 봐요!

어릴 적엔 누구나 그렇지 뭐….

그 때마다 이 소리를 들으면 울음도 멈췄고 마음도 차분해졌지.

정말 음악은 신기해요. 때로는 신나게, 때로는 차분하게, 때로는 슬프게도 하니까요.

난 신나는 음악이 좋던데.

짱 박사! 이제는 더 이상 도망칠 수 없을 거요.

이미 변신 가방은 우리가 접수했소. 이젠 포기하시오.

…

음… 그래 이젠 돌아갈 시간이 된 것 같군.

?!

안 돼요! 이 분은 천재 과학자시란 말이에요!

애… 애들아.

?

절대 못 잡아가요!

순순히 따라갈 테니 이 아이들은 무사히 돌려보내 주게.

…

아니, 박사님! 왜 그러세요. 그러니까 꼭 우리가 악당 같잖아요!

지금 연구소에서는 난리가 났습니다. 혹 사고 난 건 아닌가 모두 걱정하고 있다고요!

엥?

박… 박사님, 어떻게 된 거죠?

오히려 박사님을 걱정하잖아요.

애들아, 이분은 세계 최고의 물리학 박사셔. 그런데 가끔 이렇게 엉뚱한 짓을 하셔서 걱정을 끼치신단다.

난 심심한 건 정말 못 참아!

그래서 준비 했습니다. 자, 보시죠, 특공대 밴드!

자… 자네들 이런 거 할 시간도 있었나?

다 박사님을 위해서 준비했죠.

아니, 이 곡은 아까 박사님이 버들피리로 불렀던 곡이야.

정말…

…

155

자네들이 이렇게까지 날 염려하는지 미처 몰랐네. 미안.

이제야 알아 주시는군요.

얘들아, 덕분에 이번 외출은 아주 즐거웠다.

박사님, 우리 이렇게 헤어지는 거예요?

훌쩍

훌쩍

또 만날 수 있겠죠?

그럼 물론이지!

무단 외출은 안 돼요!

알았어, 알았다고!

내가 보고 싶으면 언제 든지 나를 찾아오너라.

그리고 열심히 공부 해서 물리학도가 되면 나랑 함께 일할 수도 있을 거야.

내 실력으로 가능할까요?

그거 말 되네.

꼼지, 뭉치를 이기다

또래 초등학교

어이! 약골~!

꼼지는 약골이라 여자애 뒤나 졸졸 쫓아다닌데요!

내가 약골인지 아닌지 한번 겨뤄 볼래?

감히 나에게 결투를 신청하다니. 좋아, 받아 주지.

킬킬킬!

넘어질 때 오줌
싸지 말아라.

!!

상대의 힘을
이용하면 더 큰
힘을 낼 수 있다.

아!

어?

헤이

켁!

이… 이게
어떻게 된 거지?

힘에는 방향이
있어서 무턱대고 쓰는
힘은 쓸모 없게 되는
거야!

그게 힘의
원리라고!
알았냐?

어쭈, 제법
인데?

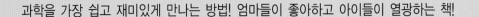

과학을 가장 쉽고 재미있게 만나는 방법! 엄마들이 좋아하고 아이들이 열광하는 책!

초등과학 학습만화 Why?

모든 과학의 출발은 호기심과 궁금증에서 비롯됩니다.
〈Why? 시리즈〉는 딱딱하고 어려운 과학을
쉽고 재미있게 엮어 내 어린이들의 왕성한 호기심과
궁금증을 시원하게 풀어 줍니다.

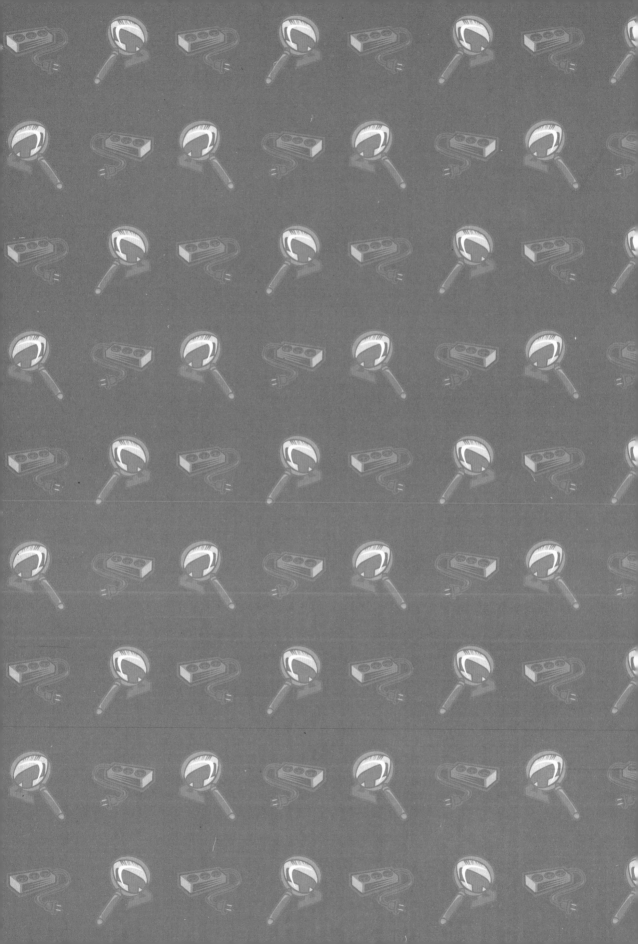